René Angélil

L'HOMME DERRIÈRE CÉLINE DION

Yves Boudreau

René Angélil

L'homme derrière Céline Dion

EDITIONS
de Bressac

Les données de catalogage avant publication sont disponibles à la Bibliothèque nationale du Québec.

Nous reconnaissons l'aide financière du gouvernement du Canada par l'entremise du Programme d'Aide au Développement de l'Industrie de l'Édition (PADIÉ) ainsi que celle de la SODEC pour nos activités d'édition.

Photos noir et blanc: Roland de Québec
Photos en couleur: Allo-Vedettes
Photos de la couverture: Allo-Vedettes

Dépôt légal 1er trimestre 2000
Bibliothèques nationales du Québec et du Canada
ISBN 2-84320-056-3

DISTRIBUTION ET DIFFUSION
Messageries ADP
1261-A Shearer
Montréal (Qc)
H3K 3G4

Imprimé et relié au Canada

Table des matières

Introduction

René Angélil est devenu, au fil des ans, un des Québécois les plus connus au monde. Presque partout, en Amérique du Nord, en Europe, en Australie, en Afrique et au Japon, on sait qu'il a un visage rond et quelque peu rougeaud, une barbe blanche, une couronne de cheveux blancs qui orne un crâne dégarni, brillant comme une boule de quille. Évidemment, René Angélil est connu comme le gérant et l'époux de la chanteuse qui a complètement dominé le monde de la chanson par sa présence, ses succès, sa fortune et, surtout, grâce à son talent.

Mais René Angélil est beaucoup plus que le gérant et mari de Céline Dion; il est le premier homme du monde artistique au Québec à obtenir un tel succès. Il y a eu et il y a des Québécois célèbres dans le monde. Ils proviennent cependant du milieu des affaires ou du monde du sport. On pense à Joseph-Armand Bombardier, à Pierre Péladeau, à Charles Sirois. Dans le sport, des hommes comme Jacques Villeneuve et quelques athlètes olympiques comme Bruny Surin ont fait et font encore leur marque. Mais dans le milieu artistique, Angélil est le seul qui peut se vanter d'avoir conquis une partie de la planète. Pourtant, à la fin des années 1950 et au début des années 1960, personne n'aurait pu prévoir que cet homme, un joueur passionné, sans beaucoup d'instruction, ne sachant pas trop quoi faire de sa vie, puisse devenir aussi puissant.

La vie de René Angélil, en dehors de Céline Dion, m'a intéressé. À partir de différentes archives de journaux artistiques et d'entrevues, mes recherches m'ont fait découvrir un homme de son époque, et c'est ce portrait que je vous propose. Né au beau milieu du siècle, d'un père et d'une mère syriens, dans un Québec encore fortement dominé par la religion, René Angélil sera toujours présent dans le monde artistique. Pas du tout élitiste, ne frayant jamais avec les intellectuels de Montréal, René Angélil joue avec la vie. Il joue sa vie comme il aime jouer dans les casinos. Nous verrons comment René Angélil, déjà tout jeune, s'est passionné pour le jeu, comment l'expérience des Baronets devait lui permettre, tout en gagnant de l'argent et de la popularité, de découvrir, d'apprendre et de travailler dans ce monde souvent difficile qu'est le milieu artistique. Nous assisterons à la naissance d'un agent d'artistes qui a connu des hauts et des bas, mais qui trouvait toujours le moyen de s'en sortir.

René Angélil a aussi eu une vie amoureuse turbulente. Trois mariages (presque un quatrième en renouvelant ses vœux le 5 janvier 2000 à Las Vegas), trois enfants, deux divorces, dont un, celui d'avec Anne Renée, qui devait faire couler beaucoup d'encre. Car il ne faut pas oublier qu'Anne Renée a été une véritable idole au Québec. Et René, pendant tout ce temps, était déjà un homme très populaire.

Toujours dans l'action, il n'a jamais quitté ce monde artistique bien particulier de la culture populaire.

Puis, le phénomène Dion se présente à Angélil et en bon joueur, il saura comment jouer ses cartes. Malgré qu'on ait souvent eu l'impression qu'il savait exactement où il s'en allait, il y a eu plusieurs ratées au tout début de la carrière de Céline, des décisions qui, sans nuire à la longue montée vers les sommets, n'annonçaient pas vraiment l'immense succès qui devait arriver. Il faut dire que René Angélil avait un diamant entre les mains; il a eu le talent de bien le tailler et d'en faire un bijou d'une rare qualité. Mais le diamant valait, peu importe les décisions qu'on prenait, une valeur inestimable.

Ce portrait se veut donc le reflet d'une époque, celle de la naissance du *show business* au Québec et de son premier demi-siècle, mais sera surtout l'histoire d'un homme qu'on a l'impression de bien connaître mais qui garde ses secrets. Il ne faut pas oublier que, en bon joueur, René Angélil ne dévoilera jamais toute sa main, toutes ses cartes.

Dernièrement, cependant, il laisse voir un peu plus son jeu, il s'attendrit. On découvre chez lui un peu plus de lassitude. On a l'impression que René Angélil a réalisé son rêve: faire sauter la banque. Il pensait pouvoir atteindre ce but dans les casinos, mais c'est grâce aux ventes de disques qu'il est parvenu à faire de l'argent.

L'image qui caractérise le mieux, je crois, cet homme, est celle qu'on se fait d'un grand adolescent: qui joue sa vie, prend du bon temps (ce qui ne veut pas dire qu'il ne faut pas travailler), se fait plaisir, vit pour le plaisir, côtoie avec jouissance les plus grands artistes du monde entier, joue au golf et en achète même un pour pouvoir se satisfaire plus facilement et le plus rapidement possible. Et, évidemment, qui saute dans un avion pour Las Vegas et joue toute une nuit des sommes énormes.

C'est ce portrait que je tenterai de vous faire découvrir dans ce livre.

Chapitre 1

L'enfance

Le 6 avril 1999, une dépêche tombe sur les fils de presse d'une bonne partie du monde occidental. On y apprend que la chanteuse Céline Dion reporte le reste de sa tournée américaine pour être au chevet de son mari et gérant, René Angélil, qui doit subir des traitements de radiothérapie. Le 30 mars précédent, jour du trente et unième anniversaire de Céline Dion, René Angélil était hospitalisé à Dallas, dans l'État du Texas. Se plaignant d'une douleur au cou, Céline, en le massant, y avait découvert une petite bosse. On a pratiqué une chirurgie, fait une biopsie et on a diagnostiqué un cancer, un carcinome à cellules squameuses métastatiques.

La nouvelle fait le tour du Canada, des États-Unis et de l'Europe très rapidement. Les plus optimistes n'y voient qu'une épreuve, sûrement difficile, mais pas insurmontable et, connaissant le courage de René Angélil, ils ne doutent aucunement qu'il s'en sortira, comme il a toujours su se dégager des pires difficultés. Pour d'autres, c'est la fin. Pourtant, personne ne le saura vraiment, puisque ni René Angélil ni l'équipe de médecins qui le traitent ne font de commentaires. On dit qu'il a perdu plus de 22,7 kg, que, lorsque les métastases sont présentes, un cancer est presque incurable. Comme Céline Dion continue à annoncer des reports de spectacles, dont toute la tournée en Grande-Bretagne, on imagine le pire. Des journaux américains et français vont même jusqu'à dire que René Angélil est condamné, qu'il ne lui reste que six mois à vivre. Au Québec et à Montréal, ville natale de René, on est plus discret. Il faut dire qu'au cours des années, celui-ci a établi une relation assez particulière avec la presse québécoise, surtout la presse artistique. Une relation fondée beaucoup plus sur le contrôle que sur la confiance. Personne ne se prononce, on s'en tient aux faits.

Le public a réagi très calmement à l'annonce de la nouvelle. On souhaitait que l'homme surmonte cette difficulté, mais l'inquiétude n'était pas au rendez-vous: René Angélil n'est pas Céline Dion. Si Céline Dion avait été atteinte du même mal, la population aurait été affectée. La question qu'on m'a le plus souvent posée pendant cette période concernait les chances qu'avait l'imprésario de la chanteuse la plus populaire au monde de s'en sortir. Il était impossible, à ce moment, de répondre à cette question, même si toutes les hypothèses et rumeurs venaient aux oreilles des journalistes.

La phrase que j'ai cependant entendue le plus souvent pendant le mois de mai 1999, au moment où René Angélil subissait ses premiers traitements de radiothérapie et de chimiothérapie, a été: «Et dire qu'ils venaient (René et Céline) tout juste de prendre la décision de se reposer, de prendre une année sabbatique. Espérons qu'ils puissent en profiter!»

Les soirées de cartes

Depuis sa naissance, le 16 janvier 1942, sur la rue Saint-Denis, dans le quartier Villeray de Montréal, on ne peut pas dire que René Angélil a vécu au ralenti. À ce moment, la Deuxième Guerre mondiale ne semble pas vouloir s'arrêter. Son père, Joseph Angélil, un Syrien né à Damas en 1903 et ayant vécu à Beyrouth et à Paris, n'était à Montréal que depuis trois ans. Il a quitté Paris au moment où Hitler déclenche la guerre en 1939. Joseph Angélil, un tailleur de grande compétence, est arrivé à Montréal avec son frère aîné. Il savait qu'un mariage avait été organisé pour lui entre la famille Sara, qui vivait ici depuis quelques années déjà, et la sienne. Sa promise se nomme Alice Sara et elle est d'une grande beauté. Il est à noter que les Angélil et les Sara sont des catholiques melkites, un patriarcat orthodoxe d'Alexandrie, et le fait d'«arranger» les mariages compte parmi les rites de cette religion. Ce genre de pratique existe encore dans le monde musulman et, sans qu'il faille aller trop loin, dans les régions rurales du Québec jusque dans les années 1920 et 1930, il n'était pas rare que les mariages soient «arrangés».

Alice Sara a vingt et un ans quand elle épouse Joseph Angélil qui, lui, en a trente-six. Le couple Angélil n'a pas beaucoup d'argent, mais Joseph et Alice sont amoureux. Cet amour a duré pendant trente ans, jusqu'à la mort de Joseph, en 1967. René est né trois ans après le mariage de ses parents et son frère, André, l'année suivante. René a vingt-cinq ans quand son père décède.

La famille d'Alice est très unie. Alice a un frère, Georges, et une sœur, Marie. Georges, qui vit toujours dans le même quartier (sur la rue Saint-Denis) s'est marié avec Anita Lacasse, avec qui il a eu trois enfants: Robert, l'aîné, Paul, un des meilleurs amis de René Angélil, et Ginette, la cadette, née plusieurs années après Paul. La famille Sara avait réussi à allier les coutumes québécoises tout en gardant certaines coutumes syriennes, principalement les habitudes alimentaires.

Quand Georges Sara s'est marié avec Anita Lacasse, sa mère, qui était veuve, a demandé au couple de s'installer chez elle. Marie demeurait encore, elle aussi, chez sa mère. Quant à Alice, en se mariant, elle était allée vivre avec son mari Joseph, dans le même quartier que sa mère.

D'ailleurs, quand Joseph Angélil décède, en 1967, Alice retournera vivre dans la maison maternelle avec le reste de sa famille. René avait alors vingt-cinq ans et, même s'il a toujours été très proche de sa mère, il ne vivait plus avec elle. Les Sara ont toujours vécu dans un immense logement de la rue Saint-Denis.

À cette époque, au Québec, il était fréquent de voir les amis ou la famille (jusqu'à douze personnes) se réunir le samedi soir et même les soirs de semaine pour jouer aux cartes, une activité très courue. On organisait deux ou trois tables de cartes, on jouait principalement au «500», au «9», à la «dame de pique», quelquefois au bridge et au poker. Dans certaines familles, on jouait à l'argent, mais rarement de grosses sommes (jamais plus de cinq, dix ou vingt-cinq cents). Les enfants pouvaient se coucher plus tard quand leurs parents recevaient des invités pour jouer aux cartes. Les jeunes tournaient autour des tables pour regarder le jeu de chaque main et même remplacer le père qui devait aller préparer quelques verres pour les invités ou la mère qui voyait à ce que les friandises ne manquent pas sur les tables. La consigne du silence et du «poker face» (ne manifester aucune émotion en voyant une belle main ou une mauvaise main) était de mise. Les cartes, c'était du sérieux. À la fin de la soirée, qui se terminait souvent aux petites heures du matin, l'hôtesse sortait les sandwichs qu'elle avait préparés dans la journée, faisait du café, et on terminait habituellement la soirée par un morceau de gâteau. Le lendemain, les enfants allaient immédiatement dans le réfrigérateur pour manger les restes de la soirée.

Ça se passait sensiblement de la même façon chez les Sara et les Angélil et René a pris goût au jeu en les regardant jouer aux cartes soir après soir. On jouait surtout au poker, au baccara et au canasta. René a appris à jouer aux cartes en tournant autour des tables. Il a vite saisi le sens du jeu. Il a aussi assimilé très rapidement la notion de chance et de malchance. Il a compris que certains soirs, tout allait bien pour un joueur, qu'il était dans une bonne veine et que d'autres, le même joueur pouvait connaître la guigne du jeu, ne plus être capable de gagner une seule partie.

Comme les membres des deux familles sont des passionnés du jeu, tout le monde est d'égale force, personne ne peut prétendre être un meilleur joueur que l'autre. Aux cartes, il y a toujours de la stratégie — et on en discute beaucoup chez les Angélil et les Sara — et de la chance. Surtout, il y a une habileté qui s'apprend: celle de bien prévoir le moment opportun de miser un peu plus ou un peu moins. Le jeune René a bien appris et a toujours su comment utiliser cet enseignement.

Comme les Sara et les Angélil ont joué aux cartes toute leur vie, on comprend que René Angélil ait toujours eu cette passion du jeu puisque toute son enfance et toute son adolescence ont baigné dans cet univers. Il est cependant plus difficile de comprendre l'engouement que le jeune homme éprouvera pour le spectacle, le *show business* et la musique.

La musique

Chez les parents de René Angélil, la musique n'est pas un passe-temps qu'on favorise. Il faut dire que le Québec, à la fin des années 1940 et au début des années 1950, n'offrait pas un grand choix musical. À la radio, on entendait surtout de la chansonnette française et la télévision n'était pas encore née. René Angélil aura dix ans quand, en 1952, les premières images nous parviendront de Radio-Canada.

Le père de René, Joseph, avait une belle voix de ténor. Il chantait dans l'intimité de sa maison, mais on ne peut pas dire qu'il y régnait une ambiance musicale. D'ailleurs, les seuls disques qui y jouaient étaient des disques de chansons arabes. Et la majorité du temps, la radio et les chants religieux à l'église étaient les seules sources musicales auxquelles les gens de cette époque pouvaient s'abreuver. D'ailleurs, Joseph Angélil a fait partie d'une chorale.

À cette époque aussi, CKVL était la station de radio la plus populaire et CKAC, la deuxième. À CKVL, on pouvait entendre chaque jour, entre 16 h et 18 h, le palmarès avec Léon Lachance. Vers le milieu des années 1950, cette émission a connu une énorme popularité chez les jeunes. On s'ouvrait à la musique américaine, à la naissance du rock'n'roll. On abandonnait un peu la chansonnette française pour s'ouvrir sur un autre monde.

Les samedis et dimanches matins, toujours à CKVL, deux émissions de radio ont marqué l'enfance de tous les Québécois de cette époque: *Zézette*, une sorte de radio-roman pour enfants, qui mettait en vedette une petite fille qui jouait des coups pendables à ses parents, surtout à son père, et, le lendemain, il ne fallait pas manquer *Les découvertes de Billy Monroe*. Ce dernier était un musicien qui, dans une salle de spectacles de Montréal, recevait des enfants et des adolescents pour les faire participer à un concours d'amateurs. Il ne fait aucun doute que René Angélil a écouté avec passion cette émission puisqu'il s'y présentera, quelques années plus tard, avec son bon ami Pierre Labelle.

Le sport a aussi marqué l'enfance de René Angélil. Dans les années 1950, le sport le plus populaire au Québec et à Montréal, en particulier, était, bien sûr, le hockey. La grande vedette montante se nommait Maurice «le Rocket» Richard et tous les jeunes garçons rêvaient de devenir une vedette de hockey. Le «Rocket» a commencé à jouer avec Le Canadien de Montréal en 1942, soit l'année de la naissance de René Angélil. Comme Maurice Richard a joué pendant dix-huit ans avec Le Canadien, René a eu le temps de le connaître comme joueur et de le voir jouer.

Le petit Angélil a huit ans quand son père l'amène pour la première fois au Forum. Nous sommes en 1950 et, cinq ans auparavant, Maurice Richard avait marqué cinquante buts en cinquante parties, un record qui ne sera battu que plusieurs décennies plus tard. René, qui manifeste toujours aujourd'hui autant de passion pour le sport (dont le golf), assistera à un moment mémorable dans la carrière de Maurice Richard. Ce soir-là, au Forum, on a fêté Maurice Richard en lui remettant une voiture neuve, une Chrysler. À cette époque, il était fréquent que les propriétaires d'un club de hockey récompensent leurs meilleurs joueurs qui n'étaient pas payés très cher. (Quelques années plus tard, d'ailleurs, Jean Béliveau et Doug Harvey, entre autres, ont été fêtés de la même façon que Maurice le fut ce soir-là de l'année 1950.) Dans une entrevue qu'il accordait, René Angélil a admis que Maurice Richard était son idole. Il le rencontrera à plusieurs reprises au cours de sa carrière et, dernièrement, au Centre Molson, Céline Dion a dédié une chanson au «Rocket».

René n'a pas une voix exceptionnelle; cette voix rauque qu'on lui connaît a toujours été sa marque de commerce, même si elle était plus atténuée avant l'adolescence. Il a, par contre, une assez bonne oreille. Dans les années 1950, toutes les écoles, ou presque, avaient leur chorale qui servait aussi de chorale d'église. Les collèges classiques, mieux nantis, avaient aussi leur chorale, et certains avaient même des ensembles musicaux: des corps de clairons (ou ce qu'on appelait des harmonies) ainsi que des orchestres classiques de cordes (violons, violoncelles, etc.). On organisait également des concours de chorales et de corps de clairons. Quoique beaucoup moins populaire au Québec qu'aux États-Unis, quand même plus d'une vingtaine d'écoles, ici, inscrivaient leur chorale ou leur corps de clairons au concours annuel, quelques-uns venant même des États-Unis. Chaque année, une ville différente présentait le concours. Ces ensembles musicaux existent encore aujourd'hui, et on peut les voir lors de défilés tels que ceux de la Saint-Jean-Baptiste ou du Carnaval de Québec.

À l'époque, pour recruter de nouvelles voix, les directeurs des chorales visitaient chaque classe et demandaient aux élèves, un par un, de se lever debout et de chanter quelques mesures d'une chanson très connue. Je me souviens qu'à l'école Honoré-Mercier, de Saint-Jean-sur-Richelieu (Saint-Jean-d'Iberville, à ce moment-là), le directeur de la chorale demandait aux élèves de chanter un petit bout de la chanson la plus connue: *Ô Canada*. Les bonnes voix étaient appelées à faire des essais avec la chorale et on gardait les meilleurs ou encore ceux qui se montraient intéressés à chanter.

Le premier contact de René Angélil avec la musique a été, à l'âge de neuf ans, avec la chorale de Saint-Vincent-Ferrier. Puis, ce fut l'ensemble de corps et clairons de l'école supérieure Saint-Viateur. Jouer dans la fanfare de l'école était un honneur. En plus d'apprendre la musique et d'avoir un instrument de musique à soi, l'école ou le collège fournissait un uniforme complet qui ne laissait pas les filles indifférentes...

La rencontre avec Pierre Labelle sera cependant la plus déterminante dans son choix de carrière. René Angélil ne sait pas encore que toute sa vie tournerait autour de la musique. Pierre Labelle habite en face des Angélil, et les deux garçons sont sensiblement du même âge, Pierre ayant un an de plus que René. Ils ont commencé à se fréquenter tout jeunes et comme ils vont à la même école, ils sont devenus de grands amis. Nous sommes au tout début des années 1950, et les deux amis passeront les vingt prochaines années de leur vie ensemble, jusqu'au début des années 1970. Pierre Labelle mourra le 18 janvier 2000 d'un arrêt cardiaque. Une embolie cérébrale l'avait laissé partiellement paralysé pendant quelques années.

* * *

René Angélil a eu une enfance heureuse, bien entouré par ses parents, mais aussi par sa grand-mère maternelle, ses oncles et ses tantes. Son père Joseph, sans être riche, rêvait d'une carrière professionnelle pour ses fils. Il travaillait dans une manufacture du boulevard de Maisonneuve et menait une vie simple, exemplaire, en étant économe. Il était autoritaire et juste. Sans être un père absent, Joseph Angélil ne parlait pas beaucoup. Mais, en homme honnête, il adorait ses enfants et le contexte familial était chaleureux, sans violence.

Maintenant, René se prépare à faire son cours classique (élément latin), après avoir «sauté» sa septième année, ce qui arrivait aux élèves un peu plus doués que les autres.

Chapitre 2
L'adolescence

Avant la révolution tranquille et les bouleversements dans le système de l'éducation amenés par le rapport Parent, seuls les parents ayant des moyens financiers relativement importants pouvaient envoyer leurs enfants dans les collèges classiques tenus par différentes congrégations religieuses. Au Québec, il y avait l'école publique, qui offrait le cours secondaire, puis le cours commercial ou technique. Les enfants des classes moyennes et pauvres n'allaient pas à l'école bien longtemps. Après leur onzième année ou leur douzième commerciale, ils se retrouvaient sur le marché du travail. C'étaient les plus nantis, fils d'avocats, de notaires, de médecins ou d'hommes d'affaires, qui fréquentaient les collèges classiques. Par exemple, en 1955, une famille devait débourser 1 000 $ par année pour que son enfant soit pensionnaire dans un collège classique; une petite fortune pour l'époque. Un étudiant pouvait aussi s'inscrire comme externe. Cela signifiait qu'il suivait ses cours au collège, mais allait prendre ses repas à la maison. S'il demeurait trop loin, il pouvait s'inscrire comme demi-pensionnaire et manger le midi au collège.

Pierre Labelle

Durant l'été entre ses études primaires et son entrée au collège, René Angélil avait perdu de vue Pierre Labelle, qui avait déménagé un peu plus à l'ouest. René s'inscrit au collège André-Grasset, sur la rue Saint-Hubert à Montréal et, par hasard, Pierre Labelle et lui se retrouvent au collège Grasset... dans la même classe! René est externe et Pierre, demi-pensionnaire. René Angélil, bien que brillant étudiant, est assez indiscipliné. Après avoir passé deux ans au collège, le destin s'organise encore une fois pour que les deux jeunes adolescents soient de nouveau séparés, puis réunis, par hasard. En effet, sans que les parents se consultent, les deux garçons se retrouvent en dixième générale à l'école Saint-Viateur. C'est à cet endroit qu'ils termineront leur cours secondaire.

René Angélil a une vie très active. Il participe à toutes les activités de l'école et pratique une foule de sports. Les collèges et les écoles de cette époque offraient des possibilités sportives intéressantes. Si le matériel n'était pas toujours de grande qualité, on en avait suffisamment pour amuser tous les étudiants. Le hockey était le sport le plus populaire, mais comme les arénas n'existaient pas encore, il fallait attendre l'hiver, arroser les patinoires de nuit et déblayer quand il neigeait. Dans les pensionnats, c'était un grand honneur que d'arroser les patinoires avec le frère ou le père de la congrégation responsable des équipements sportifs. Pendant que tous les étudiants montaient dans les dortoirs, après la période d'étude du soir, les deux élèves choisis pour arroser les patinoires allaient rejoindre le frère et y travaillaient pendant deux et même trois heures.

Les collèges les plus riches offraient des équipements sportifs en grand nombre; certains avaient même des tables de billard, mais tous avaient leurs tables de ping-pong. On jouait des matches de six points, afin de permettre à plus d'étudiants de jouer pendant les récréations. Le premier qui parvenait à faire six points, avec deux points de différence (une partie ne pouvant se terminer, par exemple, 6 à 5), gagnait la partie. Le joueur gardait la table et affrontait tous les adversaires aussi longtemps qu'il gagnait.

René Angélil a toujours été un excellent joueur de ping-pong. Il n'est pas exagéré de croire que René misait déjà quelques sous à cette époque. Il était formellement interdit de miser dans les écoles et les collèges. Toutefois, certains étudiants transgressaient allègrement ce règlement. Par exemple, surtout chez les pensionnaires, des parties de cartes s'organisaient. Pour déjouer les surveillants, on notait sur des bouts de papier l'argent qu'on gagnait ou qu'on perdait. Les sommes n'étaient pas énormes, mais dix cents de moins sur un budget d'un dollar par semaine pouvait briser le cœur de l'étudiant.

Mis à part les études et le jeu, René Angélil a commencé très jeune à caresser un rêve : le *show business*. Pierre Labelle a été l'instigateur des nouvelles ambitions de René. En effet, toute la jeunesse de Pierre Labelle a baigné dans la musique. Lorsque la famille Labelle a habité la ville de Windsor, en Ontario, le père a joué pour l'Orchestre symphonique de Detroit. Puis, parce qu'il voulait que ses enfants vivent en français, la famille Labelle a déménagé à Montréal, dans le quartier Villeray. M. Labelle travaille alors au théâtre Mercier comme directeur de l'orchestre qui accompagne les vedettes invitées à donner des spectacles. Le jeune Pierre aime aller dans les coulisses pour les observer. Il adore particulièrement le jazz et le rock'n' roll qui, grâce à Elvis Presley, vit ses années les plus glorieuses. Pierre Labelle invite souvent son ami René à la maison pour lui faire écouter de la musique. Labelle joue du piano: «Mon père avait même sorti le piano de la maison parce que je passais mon temps sur cet instrument, délaissant mes études. Il ne voulait pas du tout que je fasse une carrière de musicien.» Son père lui a également acheté un saxophone, qui a connu le même sort que le piano.

Les concours d'amateurs

Puis, l'idée de monter sur scène a commencé à germer dans la tête des deux jeunes hommes. L'oncle de Pierre travaille dans un théâtre comme dessinateur d'affiches, et les vedettes de l'heure sont La Poune, Manda Parent, Olivier Guimond père et fils. Pierre, qui accompagne souvent son oncle dans les cabarets, amène souvent rené avec lui. C'est vraiment à ce moment que René Angélil a eu la piqûre du *show business.*

Les concours d'amateurs étaient très populaires à cette époque, puisque la télévision n'occupait qu'une bien petite place dans la vie des gens. On organisait des concours d'amateurs partout: dans toutes les petites villes où il y avait une station de radio, dans tous les pensionnats, dans les fêtes de famille, etc. C'étaient les applaudissements des spectateurs qui déterminaient le gagnant. Il arrivait souvent qu'un concurrent ou une concurrente remplisse la salle des membres de sa famille et d'amis pour avoir la chance de gagner le premier prix. Les prix étaient relativement modestes. Une montre-bracelet ou 20 $ étaient généralement le maximum qu'on pouvait gagner.

À cette époque, le roi des concours d'amateurs était Jean Simon, qui a bien connu, plus tard, Les Baronets: «Trois jeunes hommes qui avaient beaucoup de talent et de succès auprès des filles.» *Les Découvertes de Jean Simon* se produisaient dans les cabarets les plus célèbres de l'époque. En trente-sept ans de carrière, Jean Simon a présenté plus de cent mille numéros et au-delà de trente-cinq mille chanteurs et chanteuses. «Le dimanche, je faisais cinq cabarets dans la journée avec mes dix découvertes. On donnait un spectacle à 15 h à la Casa Loma, un autre à 17 h à l'hôtel Aviation, à Saint-Hubert; on reprenait vers 19 h au Café du Nord, à Montréal-Nord; on se déplaçait pour un spectacle à 21 h au Café El Paso, à Lachine; et on terminait la journée au Café Provincial au centre ville, à 23 h.»

Les vraies découvertes de Jean Simon ont été nombreuses: «Il y a eu Ginette Reno, bien sûr, mais des chanteurs comme Robert DeMontigny, Pière Senécal, Serge Laprade, Tony Massarelli et des chanteuses comme Shirley Théroux, Ginette Sage et Martine Saint-Clair ont tous gagné lors de mes concours. Quand Les Baronets, vers la fin des années 1950 et le début des années 1960, se sont présentés chez moi, je savais qu'ils gagneraient le concours. C'est d'ailleurs René Angélil qui parlait au nom du groupe.»

René Angélil et Pierre Labelle ont déjà connu une expérience douloureuse en se présentant à l'émission de radio *Les découvertes de Billy Monroe*. D'ailleurs, il arrive souvent que Billy Monroe, en manque de talents, téléphone à Jean Simon: «Il me demandait de lui envoyer quelques découvertes pour pouvoir meubler son émission», dit Jean Simon. René et Pierre ont facilement passé l'audition, en interprétant *Diana* de Paul Anka, un jeune chanteur ontarien qui commence une carrière fulgurante aux États-Unis. Et Billy Monroe a convoqué le duo pour la partie plus sérieuse, soit le concours présenté en direct à CKVL.

La salle est pleine. Les deux jeunes hommes, passablement nerveux, sont tout de même convaincus de pouvoir gagner ce concours: «Nous nous pensions toujours les meilleurs», raconte Pierre Labelle. Mais la prestation a été désastreuse: «René s'est mêlé dans les paroles et ça a été un vrai fiasco», ajoute-t-il. On ne saura jamais qui s'était vraiment trompé dans les paroles, puisque René Angélil a toujours prétendu, ses amis le confirment, que Pierre avait été le fautif. Quoi qu'il en soit, les deux garçons se sont cachés, honteux de se présenter devant leurs amis.

Mais la vie scolaire suit son cours. Mis à part son goût pour les filles, le sport et la musique, René Angélil ignore complètement ce qu'il fera de sa vie. Son père rêve d'une carrière professionnelle pour son fils. Toutefois, la musique et ses incursions dans le milieu du *showbiz* avec Pierre Labelle lui donnent le goût de se lancer dans cette carrière. D'ailleurs, il ne se lasse pas d'écouter la vedette française Pierre Dudand, accompagné au piano par un autre Français installé au Québec depuis peu, le jeune Roger Joubert. Il sait cependant très bien que son père n'appréciera pas ce choix.

À l'école Saint-Viateur, un des amis de René Angélil, Gilles Petit, a un certain talent de chanteur et prépare, avec un autre, Jean Beaulne, un spectacle d'amateurs présenté à l'école. Pierre Labelle et René Angélil sont invités à se joindre à eux, et les quatre jeunes âgés d'environ dix-huit ans interprètent *In the Still of the Night* et impressionnent fortement les élèves de l'école.

Pierre Labelle et René Angélil se sont connus très jeunes et ont commencé leur carrière artistique en duo avant de former le groupe Les Baronets.

La naissance d'un groupe

Fort de son succès, René Angélil, qui n'a pas encore digéré l'humiliation du fiasco des *Découvertes de Billy Monroe*, propose de se présenter de nouveau à cette célèbre émission, afin de redorer son blason. M. Monroe accepte le quatuor lors de l'audition du matin, mais il ne veut pas les présenter chacun par leur nom. Il leur demande donc de se trouver un nom de scène avant de se présenter au micro de CKVL. Ils choisissent les Baronets. (Ici, il faut ouvrir une parenthèse. Dans *Le Petit Larousse*, le mot «baronet» signifie: «En Angleterre, titre héréditaire des membres d'un ordre de chevalerie créé en 1611 par Jacques Ier».) Nos quatre jeunes hommes, pas très forts en français et en histoire, ont choisi ce nom de scène plutôt en l'honneur d'une équipe de hockey junior de Québec, et ils en ont fait leur marque de commerce.

Enfin, la gloire attend les Baronets. Les quatre jeunes gagnent le concours et, dans l'après-midi même, se trouvent à la Casa Loma aux *Découvertes de Jean Simon*. «Je me souviens très bien de notre première rencontre. Je savais déjà qu'ils gagneraient le concours. Ils avaient de bonnes voix, mais surtout une très grande présence en scène et une confiance inébranlable en eux. Maintenant, quand je vois René Angélil travailler avec Céline Dion, je comprends mieux», dit Jean Simon.

Ils remportent aussi le concours à la Casa Loma, suivent le groupe de Jean Simon au Café El Dorado où Georges Tremblay et son trio accompagnent les découvertes, et gagnent encore. Georges Tremblay sera d'ailleurs, quelques années plus tard, le professeur des Baronets pour un court laps de temps.

La chanson et le *show business*, c'est bien beau, mais ce n'est pas en gagnant des bourses de 20 $ chaque soir, divisées en quatre, qu'il est possible de vivre honorablement. Il faut choisir un métier.

Pierre Labelle, Gilles Petit et Jean Beaulne interrompent alors leurs études. Pierre oriente sa carrière vers le dessin («J'étais assez bon»), Gilles devient vendeur d'assurances et Jean travaille avec son père qui vend des téléviseurs ou loue des appareils aux patients hospitalisés. Quant à René, pris entre le désir de faire plaisir à son père et celui de s'engager plus sérieusement dans une carrière de chanteur, il s'inscrit à l'école des Hautes études commerciales. Malgré un talent certain, il ne met pas beaucoup d'énergie dans ses études.

La carrière des Baronets suit lentement son cours. Le groupe continue de courir les concours, gagne souvent, mais on n'ose planifier à long terme. On cherche surtout à assembler un répertoire, composé principalement de chansons de groupes américains. Georges Tremblay, que les quatre garçons ont déjà rencontré lors d'un concours au café El Dorado, accepte de leur donner quelques leçons, surtout en harmonisation. Puisque personne ne joue d'un instrument, il faut varier les voix, apprendre à chanter dans différentes tonalités. La présence de Georges Tremblay a grandement aidé le groupe.

Déjà, René Angélil s'intéresse à la gérance d'artistes, à la planification, à la signature des contrats. À l'époque, plusieurs producteurs assistaient aux différents concours d'amateurs dans le but de conclure des ententes avec des artistes pour des spectacles et, qui sait, un «45 tours». Le Québec, à ce moment, ne produisait pas beaucoup de disques. Si les spectacles et la chanson se portaient assez bien, l'industrie du disque balbutiait. Les Baronets obtiennent de faire des prestations partout dans la province grâce à René Angélil qui voit à la planification de la carrière du groupe, une tâche relativement facile, puisque les appels de producteurs de spectacles se font plutôt rares.

C'est la belle époque. Les quatre jeunes d'à peine vingt ans ont un plaisir fou. Ils sont populaires — les filles s'intéressent beaucoup à eux —, ils ont tous un emploi, ils gagnent un peu d'argent, d'autant plus que la chanson est un à-côté intéressant.

La fin des études

L'été 1960 se passe bien, mais quand vient septembre, René ne voit pas d'un très bon œil son retour aux études, surtout que ses amis, eux, n'ont pas à étudier chaque soir. Mais l'école permet au jeune homme de satisfaire une autre de ses passions: le jeu. C'est aux Hautes études commerciales qu'il commence vraiment à jouer, à mettre en pratique ce que sa famille lui a appris. Il se met alors à manquer ses cours, à jouer aux cartes plutôt que d'aller apprendre la magie des chiffres.

Tout étudiant, aussi brillant qu'il soit, ne peut pas réussir ses études en n'assistant pas aux cours. René Angélil le sait que trop et, avant la fin de la première session, il quitte définitivement l'université sans le dire à son père et à sa mère. Il cache son jeu pendant plusieurs mois, mais un événement particulier lui donne l'occasion de révéler enfin la vérité: car, pendant ce temps, les Baronets continuaient leur petit bonhomme de chemin. Ils chantaient pendant les week-ends, surtout dans les Laurentides, région au nord de Montréal. Durant la semaine, René était retourné à l'emploi qu'il occupait pendant l'été, soit caissier à la Banque de Montréal. Puis, un jour, le groupe a accepté de se produire à La Feuille d'Érable, un cabaret fort célèbre de la région montréalaise. René profite de cette occasion pour inviter son père et lui annoncer qu'il a quitté les Hautes études commerciales et qu'il désire faire carrière dans le monde du spectacle. Le père se réfugie dans un silence troublant. La relation entre lui et son fils ne sera plus jamais la même.

Mais la carrière des jeunes gens va si bien qu'il a fallu prendre des décisions. On décide de s'impliquer davantage dans la carrière de chanteur. Gilles Petit refuse de les suivre dans cette aventure, et les trois autres connaîtront la gloire pendant plus de dix ans.

Chapitre 3
Les Baronets

Dans la vie, des événements non souhaitables, comme la maladie, peuvent quelquefois avoir un effet bénéfique sur le futur. Les trois garçons travaillant chacun dans leur domaine pendant la semaine et chantant les soirs et les fins de semaine, la somme de travail exigée peut engendrer des problèmes de santé à l'un ou à l'autre membre du groupe. C'est ce qui est arrivé à René qui, sans jamais avoir vraiment eu une santé déficiente, a toujours connu quelques petits ennuis.

Ainsi, à l'été 1961, il a été obligé de tout arrêter, tant son travail à la banque que sa carrière de chanteur, en raison d'une mononucléose. Car la meilleure façon de se soigner et de guérir consiste à rester bien tranquille à la maison. Même s'il veut être actif, il n'en a pas la force. Comme il demeure toujours chez ses parents, René ne fait rien d'autre que d'écouter de la musique, regarder la télévision et recevoir son ami Pierre Labelle qui lui apporte des disques qu'il peut écouter à satiété. Pour un homme actif comme lui, l'oisiveté lui pèse énormément, mais il profite de cette période pour voir un peu plus clair dans son avenir. Il peut aussi jouer aux cartes avec ses parents, ses oncles et ses tantes, et ébaucher un projet qui le captivera pendant très longtemps: comment faire sauter la banque d'un casino.

Le début d'une vraie carrière

À l'automne, guéri et en pleine forme, René quitte, au grand dam de son père, son emploi à la Banque de Montréal et décide de se consacrer entièrement à sa carrière de chanteur. Les concurrents des Baronets sont les vedettes montantes comme Michel Louvain et Ginette Reno. Mais il y a de la place pour tout le monde, d'autant plus que la folie des groupes n'a pas encore envahi le Québec. Les trois jeunes hommes s'occupent donc de tout, mais surtout de se trouver des contrats. Après les répétitions, ils partent chacun de leur côté afin de rencontrer les agents qui peuvent leur trouver du travail dans les différents cabarets de la province, et plus particulièrement dans la grande région de Montréal.

Les trois garçons commencent à être connus. L'été, ils chantent dans des endroits comme la plage Idéale, à Laval, et s'y rendent comme de grands adolescents, sur le scooter de Jean Beaulne. «Heureusement que nous ne buvions pas, ça aurait pu être très dangereux», dit Pierre Labelle.

Un jour, ils s'aperçoivent qu'ils ont signé, chacun de leur côté, des engagements qui se chevauchent. C'est à ce moment qu'ils se rendent compte qu'ils ont besoin d'un imprésario pour s'occuper des engagements et pour trouver un producteur de disques. Ils en ont rencontré quelques-uns, mais seul Ben Kaye accepte de s'occuper d'eux. On dit souvent que René Angélil est très fidèle aux gens qui travaillent bien et qui le respectent. À preuve,

Ben Kaye travaille toujours pour René Angélil aux Productions Feeling Inc.

Cet homme a fait du très bon travail avec les Baronets. Il leur a trouvé du travail, entre autres à Puerto Rico et aux États-Unis. C'est à ce moment aussi que les Baronets ont eu la chance d'enregistrer leur premier «45 tours», qui a été produit par Pierre Nolès. Sur la face A, on trouve la chanson *Johanne* et sur la face B, *Arrêtez le mariage*. À cette époque, les prénoms féminins étaient très populaires. On n'a qu'à penser à Paul Anka et *Diana*, Michel Louvain et *Sylvie*, Hugues Aufray et *Céline*. Il leur faut donc suivre le courant. Quant à *Arrêtez le mariage*, elle raconte l'histoire triste d'une fille qui épouse un garçon qu'elle n'aime pas quand, soudainement, l'amour de sa vie arrive à l'église en disant: «Arrêtez le mariage!» Sur scène, cette chanson est jouée comme au théâtre, et René Angélil interprète le rôle du prêtre. Le groupe a fait un malheur avec cette chanson au Palais du commerce.

Nous sommes en 1963. Les Baronets sont populaires partout où ils vont. Ils gagnent entre 1 800 $ et 2 000 $ chacun par semaine, roulent dans des voitures de l'année (René prête d'ailleurs souvent sa Chrysler à son oncle Georges). Mais, pour René Angélil, ce n'est pas assez; il faut aller plus haut. Le vrai grand succès est inaccessible sans un répertoire plus solide. Ils interprètent bien les traductions des grands succès américains et ils aimeraient obtenir des chansons originales mais personne, parmi eux, n'a le talent pour écrire des textes.

Les émissions de variétés à la télévision sont assez rares et *Jeunesse d'aujourd'hui*, animée par Pierre Lalonde, n'est pas encore à l'affiche. De plus, il leur est impossible de passer à Radio-Canada, car le groupe ne correspond pas aux critères fixés par la Société d'État. Le groupe fait seulement quelques apparitions à Télé-Métropole, aux différentes émissions animées par Réal Giguère.

C'est la découverte d'un groupe britannique, les Beatles, qui a vraiment assuré leur succès: «Mon frère, dit Pierre Labelle, avait un correspondant à Londres, un ami qu'il avait rencontré quand il était à Halifax avec mon père. Ce correspondant lui avait envoyé des disques des Beatles, qui n'étaient pas encore distribués au Canada. Nous avons écouté ces chansons avec une idée bien précise: les traduire et en faire un disque en français. Nous étions certains du succès, mais obtenir les droits de traduction pour ces chansons fut une tâche ardue.»

La coqueluche des dames

En 1961, René Angélil rencontre une jeune et jolie femme, Denyse Duquette, qui est devenue son épouse quelques années plus tard. Même les amis les plus proches de René, Pierre Labelle, Jean Beaulne, Ben Kaye, sont plus ou moins au courant de cette liaison. Angélil n'aime pas tellement en parler, et pour cause: Ben Kaye lui a souvent dit qu'une des raisons du succès des Baronets repose sur le charisme et le rôle de «beau garçon» que joue René dans le groupe. Les Baronets plaisent aux filles, et René Angélil encore plus. On l'appelle «le beau noir». L'anecdote suivante illustre bien à quel point il prend ce rôle au sérieux: À un moment donné, au début des années 1960, un certain médecin se fait connaître grâce à sa recette miracle pour maigrir. Les journaux artistiques, dont *Échos Vedettes*, avaient fait des reportages sur les artistes qui suivaient ce régime amaigrissant. René Angélil, qui avait pris du poids depuis quelque temps, s'est prêté à l'expérience en disant: «Il faut que je fasse quelque chose. Les filles avaient l'habitude de m'appeler le "beau noir des Baronets" et maintenant, elles m'appellent "le gros noir des Baronets". J'ai donc décidé de suivre ce régime.»

Il n'est donc pas dans l'intérêt de René de laisser savoir aux autres qu'il a une femme dans sa vie. Quand un artiste plaît beaucoup aux jeunes femmes, il est risqué de changer l'image de célibataire qu'il entretient. Par exemple, le regretté Paul Vincent, ancien gérant de Roch Voisine, avait compris que le chanteur n'avait pas intérêt à raconter ses histoires amoureuses. Il savait bien que les fans de Roch Voisine seraient moins attirées par lui et achèteraient moins ses disques si elles savaient qu'il a une femme dans sa vie. René Angélil l'a compris lui aussi. Et, soyons francs, la vie de tournée laisse beaucoup de liberté aux jeunes chanteurs et il vaut mieux laisser croire qu'on est célibataire pour ne pas déplaire aux petites amies qu'on peut avoir dans les différentes villes visitées.

Denyse Duquette accepte la vie de vedette de René. Elle l'aime et comme elle n'est ni une *groupie* ni une femme qui aime les honneurs, le jet-set et la vie mondaine, elle laisse, semble-t-il, beaucoup de liberté à René.

Quelques mois après avoir rencontré René, Denyse ira vivre chez les Angélil. Il ne faut pas oublier que le clan Angélil (et Sara) est toujours très uni. Il est particulier de noter qu'à vingt ans, indépendant, faisant passablement d'argent avec les Baronets, René Angélil vive toujours chez ses parents. Mais la force du clan prime sur tout. La tension, chez les Angélil, est tout de même palpable. C'est que Joseph Angélil, un homme droit et juste, avec des principes moraux assez arrêtés, n'aime pas tellement que son fils vive, sous son propre toit, avec une femme sans être marié. René et Denyse décident de s'épouser le 11 décembre 1966. La cérémonie a été sobre. Les meilleurs amis de René n'ont même pas été invités. Ils ont appris leur mariage plusieurs mois plus tard quand

René leur a annoncé qu'il sera bientôt papa. Patrick, le premier enfant de René Angélil, naît le 28 janvier 1968.

Le succès

De 1962 à 1966, les Baronets ont connu un succès incroyable au Québec et même à l'extérieur du pays. Pendant tout ce temps, René met beaucoup d'énergie à étudier et, surtout, à mettre sur pied un système qui lui permettra de faire sauter la banque d'un casino. Cette passion le suivra toute sa vie. Il a eu la première vraie piqûre des casinos quand Ben Kaye a décroché un contrat de deux semaines au Caribbe Hilton de Puerto Rico. C'est là qu'il a connu ses premières expériences et, plus particulièrement, ses premiers déboires.

Il est fréquent, chez les jeunes qui s'intéressent aux jeux de hasard, de tenter des expériences pour faire sauter la banque. J'étudiais moi-même au collège Notre-Dame, et une des activités de la matinée consistait à vérifier le résultat des courses de chevaux à Blue Bonnet. Un ami, grand amateur de courses de chevaux, avait inventé un système qui lui permettait de rêver et de ne jamais perdre en pariant. Il suffisait de toujours parier sur le cheval favori. Il avait, pendant des semaines et des semaines, vérifié théoriquement son système. Il y avait dix courses par soir. En misant toujours un montant d'argent sur le favori, il était certain qu'un des favoris, un sur les dix courses, allait gagner. Si le favori ne gagnait pas lors de la première, mon ami misait le double sur la deuxième course (toujours avec de l'argent «théorique», puisqu'il n'avait pas un cent pour miser réellement), et ainsi de suite, tant et aussi longtemps qu'il n'avait pas gagné. Dès qu'un favori gagnait, il arrêtait de miser. Si le cheval favori gagnait dès la première course et qu'il avait misé 2 $, il gagnait 2,20 $, soit un gain net de 20 cents, et ne gageait plus. Plus tard, nous n'avons jamais pu ou n'avons jamais eu le courage de mettre ce principe «infaillible» à l'épreuve.

René Angélil a inventé un système semblable: selon son principe, il est impossible d'avoir de longues séquences perdantes, peu importe le jeu. À cette période de sa vie, il joue au black-jack. En misant toujours le double de sa première mise (par exemple, en perdant 2 $ sur un premier jeu, il gage 4 $ sur le deuxième, 8 $ sur le troisième, 16 $ sur le quatrième, et ainsi de suite jusqu'au premier gain), il a établi, avec de savants calculs, qu'il est impossible d'avoir une séquence perdante qui dépasse huit jeux (comme nous avions établi, pour les courses de chevaux, qu'il était impossible qu'un cheval favori ne gagne aucune course sur dix). Toutefois, sa première expérience pour mettre ce principe «infaillible» à l'épreuve s'est avérée désastreuse. René Angélil y a perdu son salaire.

Mais la vie continue, et Ben Kaye poursuit son bon travail. Il décroche des contrats aux États-Unis, plus particulièrement à Dallas, mais aussi à Wildwood, endroit très couru par les Québécois dans les années 1960, à Atlantic City et à Boston. Pendant trois étés, entre 1960 et 1965, les Baronets ont travaillé sur les plages américaines.

Le grand succès des Baronets est arrivé au beau milieu des années 1960. Après avoir réglé les droits de traduction de certaines chansons des Beatles, ils sont devenus de véritables idoles au Québec en interprétant *Est-ce que tu m'aimes* (*Do You Love Me*), *Ça recommence* (*It Won't Be Long*) et *Twist et Shout* (*Twist and Shout*).

Pierre Nolès, qui avait produit leur premier disque, ne croyait pas en leur projet de traduction des succès des Beatles. Mais un jeune producteur, Denis Pantis, qui travaille pour la compagnie de disques Trans-Canada, aidé d'un autre jeune garçon qui connaîtra un véritable succès sur disques, Tony Roman, y ont cru. Ils leur ont fait

Au début des années 1960, Pierre Labelle, René Angélil et Jean Beaulne forment le groupe le plus populaire au Québec: Les Baronets.

enregistrer, coup sur coup, toutes ces chansons. À cette époque, on ne perdait pas de temps en studio. La technique était simple et on sortait un «45 tours» rapidement et à peu de frais. Un passage à *Jeunesse d'aujourd'hui*, animée par l'idole de tous les jeunes, Pierre Lalonde, le samedi soir à 19 h, assurait, dès le lundi suivant, des ventes record chez les disquaires. Les jeunes en achetaient beaucoup (un «45 tours» coûtait 99 cents plus 6 cents de taxes) pour pouvoir danser le samedi soir suivant. Les artistes ne faisaient pas une fortune avec la vente de disques, mais la popularité leur assurait des contrats de spectacles partout au Québec pendant au moins un an.

Au milieu des années 1960, les salles paroissiales étaient utilisées pour les danses du samedi soir. Comme la mode des discothèques n'avait pas encore vu le jour, il y avait toujours un orchestre engagé qui jouait les succès du jour et, pendant la soirée, une vedette de la télévision (tels que Margot Lefebvre, Michel Louvain) qui provoquait, dans certaines villes, de véritables émeutes. Par exemple, Michèle Richard ou Ginette Reno chantaient trois ou quatre de leurs plus grands succès et quittaient rapidement les lieux pour se produire dans plusieurs salles au cours de la même soirée.

Les Baronets font partie des vedettes très en demande. D'ailleurs, leur popularité les amène à voyager partout au Québec et à rencontrer beaucoup de gens. En 1963, le groupe et, René Angélil en particulier, font la rencontre d'un vendeur de disques à Alma, Guy Cloutier, qui jouera un rôle important dans la vie de l'imprésario.

Les problèmes de gorge de René Angélil ne datent pas d'hier. En effet, dès les années 1960, il est arrivé à quelques reprises que les Baronets aient eu à annuler des spectacles parce que René devenait complètement aphone, incapable de parler, encore moins de chanter: «Je ne peux pas dire combien de fois il a fallu annuler des spectacles, raconte Pierre Labelle, mais presque chaque année, on devait s'arrêter pendant deux semaines parce que René ne pouvait pas chanter. Il avait des polypes aux cordes vocales.» Angélil, qui n'a jamais fumé ni bu, éprouve ce genre de problèmes depuis son adolescence. Il a subi, à quelques reprises, de légères interventions chirurgicales aux cordes vocales pour se faire retirer des polypes. Chaque fois, il devait s'abstenir de parler pendant quelques jours, comme Céline Dion devra le faire plusieurs années plus tard, pour pouvoir reprendre le travail le plus rapidement possible. Sa voix rauque s'explique mieux quand on sait maintenant que ses cordes vocales étaient ainsi affectées.

Une drôle d'histoire

Avant son mariage avec Denyse Duquette, René Angélil a fait la connaissance de Maryse Laplante, une jeune et jolie choriste qui a travaillé pendant plusieurs années avec Tony Roman, et plus particulièrement avec Nanette. Voulant devenir chanteuse, Maryse participe souvent aux *Découvertes de Jean Simon*. Mais une certaine Ginette Reno se trouve souvent sur la même scène qu'elle. Il est donc facile de comprendre que la jeune Maryse n'a pas pu gagner souvent. Mais comme les studios ont besoin de choristes, elle est tout de même parvenue à gagner sa vie en chantant. En 1965, Maryse travaille avec Tony Roman, un ami des Baronets, ce qui permet à la jeune femme de dix-huit ans d'avoir souvent l'occasion de voir René Angélil: «Comme bien des jeunes filles de mon âge, m'a-t-elle expliqué un jour, j'étais amoureuse de René. Et, à cette époque, les gars ne se privaient pas, même s'ils avaient une autre femme dans leur vie. René, qui avait beaucoup de succès auprès des filles, ne s'en privait pas lui non plus. J'ai eu une courte histoire amoureuse avec René, mais je savais qu'il était amoureux de Denyse (Duquette) et notre histoire n'a pas été bien loin.»

Contrairement à ce qui a été dit, Maryse Laplante n'a jamais vécu avec René Angélil. Un autre jeune homme, Johnny Farago, commence, à ce moment-là, à être assez populaire et Maryse, un peu par vengeance et déçue du fait que René ne l'aimait pas comme elle aurait voulu, a vécu une courte aventure avec lui: «N'allez pas croire que je couchais avec tous les hommes que je rencontrais. J'étais jeune et j'étais amoureuse de René. Johnny, ce ne fut qu'un coup de tête.»

Naïve et mal informée, Maryse, qui a pris du poids, consulte son médecin qui lui apprend qu'elle est enceinte: «J'ai toujours pensé que René était le père de mon enfant. Mais comme il vivait avec Denyse Duquette, je ne lui ai jamais parlé de ma grossesse.» Maryse a quitté le travail de choriste, trop exigeant et pas assez payant pour une mère de famille, et a abandonné son rêve de faire une carrière de chanteuse.

Il y a quelques années, une histoire incroyable a fait la manchette des journaux: un jeune homme du nom de Maxime Farago chante avec Johnny; il se dit son fils. Pendant longtemps, ce jeune homme avait toujours cru que son père était René Angélil, du moins c'est ce que sa mère lui avait fait comprendre. Mais en raison de la ressemblance avec Johnny Farago et en apprenant que sa mère avait eu une courte liaison avec celui-ci, Maxime lui a demandé de passer un test d'ADN. Ce test a confirmé que son père n'est pas René Angélil, mais bien Johnny Farago.

La première séparation du groupe

René Angélil n'a jamais pensé «petit». Même quand il va jouer à Las Vegas, il ne veut pas simplement s'amuser, gagner ou perdre quelques dollars; il veut défoncer la banque. Il a déjà embarqué ses amis dans une histoire de gros sous au Caesar's Palace ayant, semble-t-il, trouvé le moyen de faire beaucoup d'argent en peu de temps. Jean Beaulne, Pierre Labelle et lui auraient perdu plus de 10 000 $ en moins de deux jours, revenant à Montréal «gros Jean comme devant».

Angélil a des ambitions pour les Baronets, qui ne se limitent pas au petit marché québécois (on commence déjà à découvrir sa vraie personnalité à ce moment). Ses modèles québécois sont les Jérolas, qui sont parvenus à faire une apparition à l'émission américaine de variétés la plus populaire dans le monde, le *Ed Sullivan Show*, présentée le dimanche soir à 20 h. Comme le groupe se produit aux États-Unis assez régulièrement, il rêve vraiment à une carrière internationale. Après tout, le groupe connaît des succès incroyables avec *C'est fou, mais c'est tout* et *Seul sans toi*. René roule en Thunderbird, la vie est belle et le monde s'offre à lui. Mais il y a un hic.

Les Baronets ont été des précurseurs. Au moment où la popularité des groupes de la fin des années 1960 fait un boum au Québec, les Baronets sont déjà des vétérans. Jean Beaulne a senti ce mouvement, René Angélil aussi. Le trio travaille beaucoup et rencontre d'autres jeunes groupes. C'est René Angélil, par exemple, qui a découvert les Classels, qui s'appelaient à ce moment les Special Tone. En entendant Gilles Girard chanter, Angélil a su que le groupe avait du potentiel et l'a recommandé à Denis Pantis. Pendant ce temps, Jean Beaulne est à la recherche de nouveaux talents. Il a découvert les Monstres avec Marc Hamilton (*Comme j'ai toujours envie d'aimer*) comme chanteur soliste. Mais, plus encore, il s'occupe de la carrière des Bel Canto et les décrit comme le meilleur groupe au Québec. On peut facilement imaginer que les deux autres membres des Baronets n'ont pas dû apprécier cette comparaison. Trop pris par son travail de gérance, Jean Beaulne arrive souvent en retard aux répétitions des Baronets, s'absente régulièrement et n'apprend pas les textes de ses chansons. La bisbille prend vite le dessus et, malgré la patience et les avertissements de Pierre Labelle et de René Angélil, la rupture est inévitable.

D'ailleurs, les journaux de l'époque rapportent que le torchon brûle entre Jean Beaulne et les deux autres membres du groupe. On peut les entendre s'engueuler dans leur loge de la Casa Loma, où ils se produisent encore souvent. Angélil et Labelle reprochent continuellement à Beaulne de ne pas connaître les nouvelles chansons, de ne pas mettre les efforts nécessaires pour la réussite du groupe. (Angélil, d'ailleurs, fera le même coup à Pierre Labelle, quelques années plus tard.) Car, malgré que René Angélil possède déjà sa propre maison de disques, Express, et s'occupe de la carrière d'une chanteuse, Muguette, qui ne connaîtra jamais de succès, il fait toujours passer la carrière des Baronets avant sa propre carrière d'imprésario.

Tout aurait pu se passer sans trop de problème, puisque bien des groupes qui se séparent ne le font pas toujours dans la tourmente. Après plusieurs avertissements, plusieurs discussions et plusieurs rencontres qui ne donnent rien, Pierre Labelle et René Angélil disent simplement à Jean Beaulne qu'ils ne veulent plus travailler avec lui. Ce dernier a cependant toujours dit qu'il n'était pas responsable de cette rupture, qu'il assistait aux répétitions et que les deux autres ne lui avaient jamais fait savoir leur mécontentement. Mais «Jean ne croyait plus aux Baronets. Il voulait vraiment faire carrière comme gérant de groupes», dit Pierre Labelle.

La rupture a donc été déchirante et nos deux amis

Fin des années 1960. René Angélil et Pierre Labelle travaillent en studio (en l'absence de Jean Beaulne) sous le regard de Tony Roman, une grande vedette de l'époque.

ont décidé de recruter un nouveau Baronet, Jean-Guy Chapados. Celui-ci, plus jeune que René et Pierre qui ont respectivement vingt-quatre et vingt-cinq ans, est un excellent guitariste. Il épousera, quelques années plus tard, Renée Martel, avec qui il aura un fils, aujourd'hui musicien. Mais les Nouveaux Baronets n'ont jamais eu le succès des authentiques. La chimie n'opère plus. De plus, on parle des problèmes légaux du groupe: Jean Beaulne poursuit les Nouveaux Baronets en justice pour l'utilisation du nom «Baronets» sans sa permission. L'histoire se retrouve devant un juge et, en février 1966, le jugement du tribunal décrète que les Nouveaux Baronets, s'ils veulent conserver ce nom, doivent verser 50 000 $ à Jean Beaulne.

René Angélil, qui avait pensé étudier le droit à une certaine époque (le rêve de son père Joseph), a vécu difficilement cette période. Lui qui aime convaincre, qui aime croire qu'il a toujours raison, il déteste perdre, d'au-

C'était la belle époque des groupes. Tout le monde s'amusait.
René Angélil profitait des séances d'enregistrement pour
«perfectionner» son jeu de batterie.

tant plus qu'il s'agit de sa première lutte sur le plan juridique. Comme nous le verrons plus loin, il en mènera bien d'autres au cours de sa carrière. La leçon a été d'autant plus difficile à avaler que c'est lui qui s'est occupé du dossier et que le juge a menacé le groupe, le 18 juin 1966, de les emprisonner s'ils ne se plient pas aux ordonnances de la cour: ce sont 50 000 $ ou l'abandon du nom Nouveaux Baronets.

Mais comme les Nouveaux Baronets ne connaissent pas le succès escompté, ils n'ont pas eu à verser la somme de 50 000 $. Ils ont plutôt tenté une réconciliation avec Jean Beaulne. Il est probable que ce dernier se soit aussi rendu compte qu'il venait de lâcher un gros morceau. La réconciliation a eu lieu en janvier 1967. On en a donc profité pour changer l'image des Baronets; on a promis un spectacle à la Place des Arts le 13 mars de cette même année. Il y a beaucoup de travail à faire: si on veut changer l'image, il faut arriver avec un tout nouveau spectacle, de nouveaux numéros et de nouvelles chansons tout en gardant, évidemment, les grands succès comme *C'est fou, mais c'est tout.* Toutefois, ce spectacle n'aura pas lieu à la Place des Arts, mais au Café de l'Est.

Le spectacle du retour des Baronets a été couronné de succès. On a fêté une partie de la nuit et René est entré tard. Le lendemain, soit le 14 mars 1967, sera une journée bien triste pour René: son père meurt d'un infarctus à l'âge de soixante-quatre ans. Joseph Angélil a été un homme discret. Il est mort enfermé dans la salle de bain. C'est René qui a dû défoncer la porte pour le sortir de là. Il n'avait jamais été proche de son père, et l'éloignement s'était accentué surtout depuis le jour où il lui avait dit qu'il abandonnait ses études. Mais quand on perd un être cher sans avoir eu le temps de lui dire «je t'aime», la douleur est toujours plus grande, la blessure plus profonde.

* * *

Ben Kaye s'occupe toujours des Baronets, mais la concurrence est de plus en plus forte. Les Hou-Lops, qui font la première partie des Rolling Stones à Paris, les Sultan et le très beau Bruce Huard sont difficiles à déloger de la première place. César et ses Romains font également un malheur. Les Baronets ne sont plus seuls. Mais, encouragé par René («nous sommes toujours les meilleurs!» dit-il souvent), Ben Kaye planifie une carrière américaine. Celui-ci établit des contacts avec Bob Crew, le gérant des Four Seasons, un groupe extrêmement populaire à ce moment-là. Crew est impressionné par les Baronets. René Angélil assiste aux discussions et, avec son grand talent de persuasion, lui explique qu'au Québec, ils sont «les plus big». La compagnie Genious Inc. du gérant américain accepte donc de produire un album. On trouve un distributeur et on entre en studio. Le disque sera uniquement composé de chansons anglaises, sauf *Je suis fou*, un autre gros succès des Baronets au Québec. Pierre Labelle raconte: «René n'arrêtait jamais de dire que nous étions toujours capables de faire mieux, d'aller plus haut. Nous étions convaincus de notre succès aux États-Unis, mais quelques semaines avant la sortie de notre album, la compagnie de distribution avec laquelle nous avions signé un contrat a fait faillite. Nous avons tout perdu.» Il existe donc un album imprimé des Baronets en anglais, mais personne ne sait aujourd'hui où il se trouve.

La rupture définitive

À partir de la fin des années 1960, le groupe ne se produit plus beaucoup. Deux ans après la fameuse réconciliation de 1967, Jean Beaulne n'est presque plus avec les Baronets. Le plus motivé du groupe est Pierre Labelle, qui pense constamment à «l'après» Baronets. En 1970, les deux jeunes hommes approchant la trentaine, acceptent de jouer dans une revue de Clémence Desrochers, *La belle amanchure*. (Clémence avait déjà écrit et interprété avec quatre autres filles, Chantal Renaud, Louise Latraverse, Diane Dufresne et Paule Bayard, une revue qui avait connu beaucoup de succès: *Les girls*.) *La belle amanchure* est un spectacle bien fait, il y a de la chanson, de la comédie, mais comme le dit Pierre Labelle: «Les soldats se sont mis dans nos jambes.» En effet, cette revue, présentée au Patriote à Montréal, en plein centre-ville, a dû faire face à une dure réalité. En octobre 1970, le FLQ enlève James Richard Cross, conseiller commercial du gouvernement de Londres, et le ministre Pierre Laporte. Pierre Elliot Trudeau, alors premier ministre du Canada, décrète la Loi sur les mesures de guerre; l'armée est partout à Montréal. C'est la «crise d'Octobre». Après 18 h, plus personne ne se promène dans les rues de Montréal. Dans le spectacle de Clémence Desrochers, René Angélil devait jouer, dans un sketch, un indépendantiste…

Après *La belle amanchure*, Pierre Labelle et René Angélil se sont lancés dans le cinéma, une expérience qui a été courte, peu convaincante, mais bien agréable. Les deux grands amis ont joué de petits rôles comiques dans *L'apparition* et dans *Après-ski*, deux navets à saveur sexuelle. Puisque les deux films n'ont pas connu le triomphe escompté, la performance des deux Baronets est passée inaperçue.

Lors du tournage de *Après-ski*, un accident a rendu René Angélil furieux. Le 7 janvier 1971, tous les comédiens du film se trouvent à l'hôtel Sun Valley quand René Angélil glisse sur une chaussée glacée et se fracture le bras gauche. On a raconté, à cette époque, que la blessure du jeune homme de vingt-neuf ans avait exacerbé son caractère et qu'il se plaignait lamentablement. Il a été conduit à l'hôpital de Saint-Jérôme où la fracture a été soignée.

* * *

René Angélil a déjà été un fervent de la cartomancie et des diseuses de bonne aventure. Pour un homme qui croit au rationnel du jeu, c'était sa façon de défier la chance en tentant de découvrir ce que l'avenir lui réservait. Il aurait cessé de croire aux diseuses de bonne aventure quand, en juillet 1971, sa cartomancienne préférée lui aurait prédit sa mort dans un accident de voiture, l'automne de la même année. Il est très rare qu'une cartomancienne prédise la mort d'un client. Comme cette femme avait déjà dit quelques vérités concernant sa vie, René aurait très mal pris la prédiction et aurait vécu nerveusement, surtout au volant de sa voiture, pendant tout le reste de l'année. Depuis cette fausse prédiction, René Angélil n'aurait plus jamais consulté les diseuses de bonne aventure...

* * *

Ce n'est qu'en 1973 que les Baronets se séparent définitivement. Jean Beaulne n'est plus présent depuis un certain temps. Pierre Labelle tente, tant bien que mal, de consolider les liens du duo. Il veut monter un spectacle avec son ami Angélil, mais ce dernier, un peu comme Jean Beaulne l'avait fait quelques années plus tôt, ne se rend pas aux répétitions et s'occupe davantage de sa compagnie de disques que des spectacles qu'ils doivent préparer. «J'ai souvent fait remarquer à René qu'il ne montrait pas beaucoup de sérieux, il était toujours parti. Nous avons donné un dernier *show* dans un petit endroit, je ne me souviens même plus où c'était, et après le spectacle, j'ai dit à René que c'était fini.» Une bien triste fin pour un groupe qui avait pourtant connu de très gros succès.

Cette période a été l'une des plus sombres dans la vie de René Angélil. Son mariage avec Denyse Duquette ne va pas très bien et il doit passablement d'argent à bien des gens. En effet, il a perdu des sommes assez importantes à la suite de paris sur des parties de hockey. Son principe n'a pas fonctionné et la chance l'a abandonné. D'ailleurs, quelques années auparavant, sa mère lui avait donné de l'argent pour qu'il puisse payer ses dettes de jeux...

Mais des événements qui s'en viennent changeront la vie de René Angélil: son association avec Guy Cloutier et la gérance d'un phénomène au Québec, René Simard, ainsi que son mariage avec la très belle Anne Renée, vedette du disque et de la télévision.

Chapitre 4

René Angélil, le gérant d'artistes

L'amitié entre René Angélil et Guy Cloutier est née à la suite de leur première rencontre à Alma, en 1963. Guy Cloutier est un personnage coloré. Avant de devenir gérant, il avait tenté sa chance dans la chanson; il avait enregistré un «45 tours» qui n'avait pas du tout intéressé le public. À cette époque, Cloutier s'est fait davantage connaître par ses relations avec les femmes que par sa musique. Les manchettes des journaux faisaient état de ses amours avec Michèle Richard, une très grande vedette au Québec. Guy Cloutier est un bon vivant, un joyeux luron, un grand ami de René Angélil. Un peu comme ce dernier, il aura eu le flair de prendre en charge le talent d'un jeune chanteur, René Simard, qui fera sa fortune et celle, pendant un certain temps, de René Angélil.

René Simard

René Simard est né le 28 février 1961, à Chicoutimi. Après que toute la famille eut déménagé à l'île d'Orléans, le petit René chante souvent à l'église et dans les écoles. À l'âge de neuf ans, il participe, à Québec, à l'émission *Les découvertes de Jen Roger,* et y gagne le concours. Cette victoire l'amène à faire des émissions de télévision à Montréal, dont la très populaire *Madame est servie,* animée par Réal Giguère. Guy Cloutier entend ce jeune prodige et convainc ses parents qu'il est l'homme tout désigné pour prendre en main la carrière de leur fils et faire de grandes choses avec lui. En 1970, Guy Cloutier devient, pour ainsi dire, le deuxième père de René Simard, le couvant comme s'il s'agissait de son véritable fils, l'éloignant des dangers (il est si jeune) et administrant son argent avec jugement et honnêteté.

La carrière québécoise de René Simard a démarré très rapidement grâce à son premier disque, *Ave Maria.* La chanson *L'oiseau* permet à René Simard de faire la Place des Arts et d'être considéré comme le «Joselito québécois». Il parvient, à l'âge de dix ans, à faire salle comble au Forum de Montréal. Puis, une chance inouïe se présente à lui: il fait la première partie du spectacle de Daniel Guichard à l'Olympia de Paris. Il y fait un véritable malheur et on parle de lui partout. Ce passage à Paris lui donne la chance d'être invité, comme Céline Dion le sera quelques années plus tard, au fameux festival Yamaha de Tokyo. René Simard remporte le premier prix qui lui est remis par Frank Sinatra lui-même!

À cette époque, René Angélil travaille avec Guy Cloutier, mais sans apport direct à la carrière de René Simard. C'est à partir de l'instant où le jeune garçon de treize ans gagne à Tokyo que René Angélil commence à s'impliquer davantage dans la carrière de René Simard. Les deux hommes commencent à penser «big» et René Angélil est convaincu qu'il faut sortir le «p'tit Simard» du Québec, qu'il faut l'amener aux États-Unis, pour lancer sa carrière internationale. Même si René Angélil n'est pas l'homme derrière René Simard, il apprendra, par cette expérience, des leçons qui lui serviront énormément quand viendra le temps, soit près de vingt ans plus tard, de faire connaître Céline Dion dans le monde entier.

Un autre événement bouleversera toutes les valeurs de René Angélil: il tombe follement amoureux d'une belle et jeune femme, très populaire au Québec, Anne Renée, au point où il demande et obtient le divorce d'avec sa première épouse, Denyse Duquette, le 12 juin 1973. Son fils Patrick a alors cinq ans. Pour éviter les problèmes et les longues et coûteuses procédures judiciaires, on s'entend pour invoquer l'adultère comme cause du divorce — c'était courant à l'époque de procéder de la sorte. Quelques jours plus tard, le 23 juin 1973, René Angélil et Anne Renée se marient. La jeune femme a vingt-trois ans et René, trente et un.

Anne Renée Kirouac a commencé sa carrière de chanteuse à l'âge de quatorze ans sous le nom de Manon Kirouac, mais René, qui l'avait déjà rencontrée dans les coulisses de Télé-Métropole, surtout lors des enregistrements de *Jeunesse d'aujourd'hui*, a fait plus ample connaissance avec elle alors qu'il travaille pour les Productions Guy Cloutier. En effet, en plus d'avoir René Simard dans son écurie, Guy Cloutier s'occupe des carrières de Johnny Farago, Patrick Zabé et Anne Renée. Celle-ci connaît quelques succès sur disque, dont les traductions de *The Band of Gold*, devenu *Le Jonc d'amitié*, et *Puppy Love*, de Paul Anka, devenu *Un amour d'adolescent*. Mais Anne Renée n'a pas l'ambition de faire une grande carrière dans la chanson. Quand elle met au monde son premier enfant, Jean-Pierre, le 23 mars 1974, elle refuse de chanter dans les cabarets et les grandes salles de spectacles. Elle s'intéresse beaucoup plus à la production.

Mais l'amour ne peut pas empêcher René Angélil de travailler. Après le succès de René Simard à Tokyo, Guy

Cloutier et, surtout, René Angélil veulent que le «p'tit» Simard aille plus loin. Ils décident de rencontrer des gens de CBS, la très célèbre et très riche compagnie de disques, forts d'un article très sérieux du *Wall Street Journal.* René Simard y avait fait la une avec un papier mentionnant que le jeune chanteur, qui avait gagné le célèbre concours Yamaha de Tokyo, vendait plus de disques au Québec que Elvis Presley et les Beatles. On reconnaît bien le style Angélil dans cette histoire: en effet, il est vrai que, pendant une semaine, les ventes des disques de René Simard avaient été plus élevées que celles des deux plus grandes vedettes au monde, ce qui est fréquent au Québec quand un artiste obtient un gros succès. Mais cet exploit n'avait pas tenu bien longtemps.

Échec retentissant

En 1974, les deux jeunes imprésarios se présentent donc à New York pour un dîner avec les riches bonzes de CBS. René Angélil avait convaincu Guy Cloutier d'engager l'avocat des Beatles pour négocier le contrat de disques. Ils lui donnent comme mandat d'exiger un million de dollars pour signer la jeune merveille venue du Nord, rien de moins. Les dirigeants de CBS ont écouté, ont quitté le restaurant, et nos deux jeunes n'ont plus jamais entendu parler d'eux. René Angélil avait misé et perdu. Il croyait vraiment qu'en se montrant gourmand et exigeant, avec un avocat de renom, il pouvait impressionner les gens de CBS.

Cette défaite, parce qu'il s'agit vraiment d'une défaite — René Simard aurait pu connaître un véritable succès international — a coûté le poste de René Angélil aux Productions Guy Cloutier. L'amitié des deux hommes a été, elle aussi, ébranlée.

En effet, quelques années plus tard, en 1977, René

Angélil, qui, apparemment touchait 15 % des profits des Productions Guy Cloutier, demande à ce dernier une augmentation de sa part. Mais comme Cloutier tient Angélil en partie responsable de l'échec des négociations avec CBS, il lui refuse cette demande et René Angélil quitte les Productions Guy Cloutier.

(Malgré l'échec des négociations avec CBS, René Simard, quant à lui, a quand même eu l'occasion de travailler un peu aux États-Unis. En effet, après avoir chanté, en 1976, la chanson officielle des jeux Olympiques, *Bienvenue à Montréal*, le célèbre pianiste Liberace l'invite à chanter dans son spectacle à Las Vegas. Il chantera ainsi pendant deux mois dans la capitale du jeu.)

À ce moment, l'avenir de René Angélil ne semble pas très reluisant. Son fils Jean-Pierre a déjà trois ans, et Anne Renée attend la venue d'un deuxième enfant, Anne-Marie, qui naît le 12 juin 1977. Mais comme un chat qui finit toujours par retomber sur ses pattes, il s'en sort à nouveau. L'imprésario fonde Les Productions René Angélil et tente de faire son chemin seul.

Anne Renée ne chante plus, mais elle est l'animatrice d'une émission très populaire à Télé-Métropole, *Les Tannants*. Elle anime, chante un peu et joue dans de petits sketches humoristiques. Son salaire permet à la famille de s'en sortir pas trop mal.

Pendant ce temps, René Angélil trouve un nouvel artiste à s'occuper. Il s'agit, en fait, du chanteur Johnny Farago, qu'il a amené avec lui en quittant Guy Cloutier. Johnny Farago avait connu un bon succès avec la chanson *J'ai ta photo dans ma chambre*, mais depuis ce succès, on ne peut pas dire que sa carrière roule sur l'or. Il est, plus souvent qu'autrement, la risée de bien des gens, passant pour un chanteur démodé.

Connaissant très bien le potentiel limité de Johnny

Farago comme vedette incontournable, René Angélil a quand même su tirer parti d'une occasion et a eu une excellente idée. À la mort d'Elvis, le 16 août 1977, René Angélil et Johnny Farago se rendent à Memphis pour assister aux funérailles d'une des plus grandes idoles du siècle. Elvis Presley et, surtout, le colonel Parker, gérant du King, sont les idoles de l'imprésario. René et Johnny sont impressionnés par l'ampleur des cérémonies. Au retour, Angélil et Farago montent un spectacle: *Hommage à Elvis.* Farago chante tous les succès du King traduits en français, en s'habillant comme la vedette, et donne des spectacles un peu partout au Québec. Ce spectacle a fonctionné un certain temps et a permis de faire vivre Farago pendant quelques années. (D'ailleurs, la grande loyauté de René Angélil s'exprimera encore une fois quand, à l'été de 1997, Johnny Farago décède d'une crise cardiaque. René déboursera les frais des funérailles de son ancien protégé, qui est décédé sans le sou et qui tentait, à ce moment-là, de relancer sa carrière avec son fils Maxime — fils de Maryse Laplante.)

Mais, en 1977, les succès de Johnny Farago ne sont pas suffisants pour René Angélil. Il ne parvient pas à faire beaucoup d'argent avec un seul artiste de la trempe de Farago. Un coup de chance survient, un événement qui, sans qu'il le paraisse, aura une influence sur la suite de la vie professionnelle de René Angélil. C'était pendant le temps des fêtes 1977.

Ginette Reno

Acapulco, au Mexique, a longtemps été le lieu de prédilection des Québécois en général et du jet set en particulier. Le Mexique était une destination peu coûteuse; il y faisait toujours beau et chaud, alors qu'en Floride, au mois de décembre, la température était moins clémente. Des vedettes comme Dominique Michel, Danielle Ouimet, Michèle Richard, Michel Girouard y passaient toujours quelques semaines. À leur retour, ils faisaient publier des photos dans les différents journaux artistiques se vantant d'avoir habité au célèbre Las Brisas, un des hôtels les plus chics de l'endroit, un hôtel peint en rose où chaque chambre avait sa piscine. Certaines vedettes ont sûrement séjourné quelque temps à cet hôtel, mais généralement, elles se logeaient dans des hôtels plus accessibles. À beau mentir qui vient de loin...

En décembre 1977, donc, Johnny Farago chante à l'hôtel El Presidente, à Acapulco. René, Anne Renée et leurs deux enfants s'y trouvent aussi. Un soir que le couple assiste au spectacle de Johnny, la chanteuse Ginette Reno vient saluer René et Anne Renée.

En 1977, Ginette Reno est une très grande vedette au Québec. Née le 28 avril 1946 à Montréal, elle débute sa carrière de chanteuse à quatorze ans, aux *Découvertes de Jean Simon*. Personne ne peut se comparer à cette chanteuse à la voix puissante. Jean Simon sera son premier imprésario et lui fera enregistrer des chansons qui atteindront toujours le numéro un au palmarès, comme *J'aime Guy*, *Non papa*, *Roger* et plusieurs autres. «René Angélil ne sera pas le premier gérant à faire des changements physiques avec une chanteuse, explique Jean Simon. C'est moi qui lui ai proposé de changer son nom de Raynault pour Reno. Quand je m'occupais d'elle, je lui ai fait suivre des cours de diction et de maintien, je l'amenais au restaurant et je lui expliquais comment utiliser ses ustensiles. Elle pouvait très bien, au début de sa carrière, siffler une serveuse dans un restaurant pour attirer son attention. Je lui ai fait suivre des régimes parce que déjà, très jeune, elle avait tendance à prendre du poids. Je lui ai fait refaire les dents chez un orthodontiste. Elle avait une voix superbe, mais sa personnalité manquait de fini.»

Bien avant de rencontrer René Angélil, Ginette Reno fait la première partie de Gilbert Bécaud à la Place des Arts en 1966, se produit pour Bruno Coquatrix à l'Olympia de Paris, est élue Miss Radio Télévision (le MétroStar de l'époque) en 1968. Elle enregistre un disque en Angleterre et gagne un Juno comme meilleure chanteuse canadienne. Elle remporte aussi le premier prix du premier Festival international de la chanson de Tokyo. Elle a fait une courte carrière aux États-Unis et a obtenu un succès monstre, en 1975, sur le mont Royal en interprétant *Un peu plus haut, un peu plus loin* de Jean-Pierre Ferland devant deux cent cinquante mille personnes.

Mais Ginette Reno a toujours éprouvé des difficultés à se trouver et, surtout, à garder ses gérants. Encore aujourd'hui, elle est, sans aucun doute, l'artiste qui a le plus souvent changé de gérants. On lui en compte une quinzaine en quarante ans de carrière, et René Angélil en a été. L'expérience a été douloureuse pour Angélil, mais avec le recul, on constate qu'elle lui aura permis de créer des contacts qui lui serviront pour démarrer la carrière internationale de Céline Dion.

Mais revenons à cette soirée au El Presidente. Ginette Reno connaît bien René Angélil pour l'avoir souvent croisé dans les studios de télévision et, bien avant, dans les cabarets de Montréal quand elle participait à des concours d'amateurs et que les Baronets étaient déjà un peu populaires. La chanteuse — célibataire à ce moment, après avoir quitté son premier mari Robert Watier en 1973, de qui elle a eu deux enfants, Cédric et Natacha —, se cherche un gérant. Elle a la réputation d'épouser ses gérants ou d'offrir le travail de gérance à ses époux. Au cours de la soirée, elle propose le poste à René. Après tout, l'homme commence à avoir de l'expérience; il roule sa bosse depuis quatre ans comme imprésario, il connaît le milieu artistique comme le fond de sa poche, ayant été artiste lui-même et ayant négocié des contrats de disques et de spectacles. Angélil hésite. Comme tout le monde, il a entendu les pires histoires concernant Ginette Reno qui peut, en se levant le matin, changer d'imprésario en deux temps, trois mouvements. Mais il croit au talent de la chanteuse et, pour être franc, il n'a pas beaucoup le choix. Il ne gagne plus un sou et il doit absolument se refaire une réputation et, comme tout le monde, travailler.

Les débuts sont fulgurants. C'est vraiment avec Ginette Reno que se révèlent les talents d'imprésario de René Angélil. Lorsqu'il la voit en spectacle pour la première fois, il est étonné de découvrir une véritable bête de scène. Quand il entend pour la première fois *Je ne suis qu'une chanson*, une chanson écrite par Diane Juster — une auteur-compositeur et interprète qui donne des spectacles en s'accompagnant au piano et qui chante des chansons très douloureuses et intenses comme *Ce matin (je m'suis levée pour rien)* —, René Angélil est demeuré estomaqué. Il veut mettre cette chanson sur le prochain album de Ginette qui, elle, n'y croit pas beaucoup. Elle pense plutôt que *Je ne suis qu'une chanson* est adaptée pour la scène. Mais René Angélil parvient à la convaincre, et il a eu parfaitement raison, puisque l'album s'est vendu à plus de trois cent cinquante mille exemplaires en 1978 et en 1979. L'ADISQ lui a d'ailleurs remis trois trophées en 1980.

Les idées de grandeur envahissent René Angélil. S'il y a une constance dans la façon d'agir de René Angélil, c'est bien de sortir les artistes du Québec, d'élargir le marché et, par le fait même, de gagner plus d'argent. En plus d'organiser des tournées au Québec, il a commencé à établir un réseau de contacts en France pour faire connaître son artiste. Mais les Français ne sont pas impressionnés par cette chanteuse trop grosse et qui a un fort accent. On conseille à René Angélil de prendre contact avec Eddy Marnay, un célèbre auteur qui écrit pour les plus grands en France. René lui fait entendre *Je ne suis qu'une chanson*, puis visionner la cassette de la fête nationale sur le mont Royal où Ginette chante *Un peu plus haut, un peu plus loin*, en prenant bien soin, cependant, d'omettre de lui dire qu'il s'agit d'un spectacle gratuit. Eddy Marnay est tout simplement ébloui, impressionné. Quelques jours plus tard, en plein hiver, il se trouve au Capitole de Québec pour entendre chanter Ginette Reno et décide très rapidement de lui écrire des chansons.

Curieusement, Ginette Reno ne semble pas attacher beaucoup d'importance à ce qui se passe autour d'elle. Quand René Angélil lui annonce qu'il prépare un album pour la France avec Eddy Marnay et le producteur Claude Pascal, que le disque sortira sur étiquette Pathé-Marconi en France, Ginette ne se montre pas plus emballée qu'il ne le faut. Elle semble accorder plus d'attention à ses vacances avec son nouvel amoureux, Alain Charbonneau (avec qui elle aura, un peu plus tard, un troisième enfant, Pascalin).

Ici, tout chavire. Pendant que René Angélil travaille à préparer le nouvel album de Ginette Reno, à organiser une grande tournée au Québec et en Ontario et planifie envoyer Ginette passer quelque temps à Paris pour l'enregistrement du nouvel album, cette dernière aurait tenté d'imposer son nouvel amoureux à son gérant. Selon la version de René, à son retour de vacances, Alain Charbonneau lui aurait indiqué qu'il voulait partager la gérance avec lui et qu'il exigeait la moitié des pourcentages que l'imprésario touchait.

Devant ces nouveaux faits, René Angélil refuse

catégoriquement de partager ses pourcentages avec Alain Charbonneau qui ne s'y connaît pas du tout en gérance d'artistes. Il met donc un terme à son association avec Ginette Reno.

Une chose est certaine, les amoureux de Ginette Reno, surtout au début de sa carrière, se mêlaient très étroitement de gérance, ce qui donne du poids à la version de René Angélil relativement à sa séparation professionnelle d'avec la chanteuse la plus populaire du Québec. Nous sommes en 1980, et les beaux projets de carrière internationale pour Ginette Reno tombent à l'eau.

Plus tard, quand Céline Dion deviendra une vedette internationale, René Angélil expliquera qu'il a appliqué à la jeune chanteuse le même plan de carrière qu'il avait tracé pour Ginette Reno. Car c'est grâce à Ginette Reno ou, du moins, en voulant faire de la chanteuse une vedette internationale, que René Angélil a eu l'occasion de rencontrer Eddy Marnay et Claude Pascal, des personnes qui deviendront très importantes dans la montée fulgurante de Céline Dion en France.

Quant à Ginette Reno, sa carrière en France n'a jamais vraiment décollé. Alain Charbonneau aurait tenté de poursuivre le travail de René Angélil auprès d'Eddy Marnay, mais voulant s'ingérer un peu trop dans le choix des chansons, Marnay et Pascal l'ont tout simplement laissé tomber. Plusieurs années plus tard, Ginette Reno — elle l'a d'ailleurs avoué — en a voulu à Céline Dion; elle ne pouvait pas entendre sa voix sans faire une crise. Aujourd'hui, elle a fait la paix avec elle-même, avec René Angélil et avec Céline Dion. Elle a compris qu'elle ne pouvait pas reprocher à Céline d'avoir du talent. Elle a même déjà dit, dans son langage coloré: «Elle chante en maudit, la petite!»

René Angélil se trouve donc, encore une fois, sans

ressources, sans artiste, rien devant lui, sauf le salaire d'Anne Renée pour vivre. De plus, comme imprésario, René Angélil ne voit pas de lumière au bout du tunnel. Les vedettes québécoises, à ce moment, sont rares et ne correspondent pas du tout au créneau de René Angélil qui a toujours travaillé avec des artistes très populaires, pour lesquels la mélodie l'emporte sur le texte. Il peut admirer les Jacques Brel, Georges Brassens, Léo Ferré en France, les Félix Leclerc, Gilles Vigneault et Robert Charlebois au Québec, mais ces artistes ne font pas partie de son monde. On voit mal, par exemple, René Angélil diriger la carrière de Diane Dufresne, une grande star à cette époque qui a rempli le Forum à pleine capacité deux soirs consécutifs et qui a, avec *Magie rose*, fait vibrer le béton du Stade olympique.

Il a repensé à son père pendant cette période difficile, son père qui rêvait de le voir terminer ses études aux Hautes études commerciales et d'entreprendre, pourquoi pas, des études en droit. Car s'il est possible d'atteindre les sommets dans le *show business*, il est certainement possible de le faire aussi dans une carrière libérale. Il envisage donc, pendant un certain temps, de reprendre ses études en droit, encouragé en cela aussi par ses amis les plus fidèles, dont son cousin Paul Sara et Marc Verreault. Mais, à trente-huit ans, le seul fait de penser qu'il faut tout recommencer à zéro ne l'emballe pas et il renonce à ce projet.

Chapitre 5

La providence
à Charlemagne

Paul Lévesque

En 1980, Paul Lévesque a vingt-huit ans. Aujourd'hui, il gère la carrière de Bruno Pelletier. Mais à l'époque, il s'occupait de certains artistes au Québec, dont les groupes Mohagany Rush et Luba. Le succès de Luba dépasse les frontières, le groupe est connu tant aux États-Unis qu'ici. (Le groupe a connu un très gros succès, mais éphémère). Paul Lévesque gère aussi un groupe québécois nommé L'Éclipse qui, sans jeu de mots, s'est éclipsé très rapidement. Dans ce groupe, il y a un certain Michel Dion qui ne cesse de dire à son gérant que sa petite sœur, la dernière d'une famille de quatorze enfants, chante comme une déesse. En 1980, Nathalie Simard, une autre chanteuse, est très populaire et Lévesque ne croit pas que dans un petit marché comme le Québec, il y ait vraiment de la place pour deux chanteuses du même âge et du même genre. La perspective de diriger la carrière de cette jeune fille ne le motive pas beaucoup. (D'ailleurs, la première fois que René Angélil entendra parler de cette jeune adolescente de Charlemagne, il aura sensiblement la même réaction.)

Paul Lévesque accepte donc, plus par amitié pour Michel que par désir de s'occuper de cette fille, d'aller entendre la petite Dion au Vieux Baril, propriété de Thérèse et d'Adhémar (les parents de Céline) ainsi que de Claudette Dion et de son premier mari, puis une autre fois au club de golf de Repentigny. Paul Lévesque, qui a une excellente oreille et qui sait reconnaître les talents, constate que cette jeune chanteuse a une voix exceptionnelle. Il signe un contrat de cinq ans avec la maman de Céline.

Pour devenir une vedette, il ne s'agit pas uniquement de signer un contrat avec un imprésario; il faut aussi enregistrer un disque, passer à la radio et à la télévision. Céline Dion n'a pas son propre répertoire. Elle peut chanter tout ce qui est possible de chanter, mais c'est tout. Paul Lévesque demande à la famille Dion, dont plusieurs sont de bons musiciens, de composer des chansons pour Céline. Thérèse Dion, la maman de Céline se mettra donc à écrire pour sa fille, dont *Ce n'était qu'un rêve*, qui deviendra la chanson fétiche de Céline Dion et de René Angélil.

Mais Paul Lévesque, qui est associé avec un certain Gilles Cadieux, ne parvient pas à trouver des producteurs pour le premier enregistrement de la petite Dion. Il a présenté un «démo», qu'il avait fait faire dans un studio de la Rive-Sud, à quelques gens de l'industrie du disque — sûrement pas de très grands visionnaires — qui n'ont pas voulu s'embarquer dans cette aventure. Lévesque et Cadieux décident alors de faire parvenir le «démo» à René Angélil qui, depuis quelques mois déjà, n'avait plus de travail.

Il existe deux versions, celle de Jean Beaunoyer et celle de Georges-Hébert Germain, sur la façon dont Céline Dion a été découverte. La première version, celle de Jean Beaunoyer, raconte que Lévesque et Cadieux se sont rendus chez René Angélil pour lui faire écouter trois

En 1986, René Angélil
est victime d'un premier
malaise cardiaque et les
médecins lui conseillent
de perdre du poids.

*Amaigri et pas encore
assuré du succès,
René Angélil et
Céline Dion lancent*
Incognito *en 1987.
On remarque des
changements dans
l'apparence physique
de Céline.*

René Angélil s'associe avec Donald K. Donald pour présenter des spectacles de Céline au Forum.

Le succès d'Incognito rend l'entourage de Céline Dion, son père et sa mère, bien heureux. Mais le plus fier est, sans contredit, René Angélil.

chansons, *Chante-la ta chanson*, une composition très populaire de Jean Lapointe, *Ce n'était qu'un rêve* et *Grand-maman*, toutes deux de Thérèse Dion. On pense que René Angélil, quelque peu déprimé par son congédiement comme imprésario de Ginette Reno, n'était pas intéressé à s'occuper de la carrière d'une fille qui n'avait pas encore douze ans.

L'autre version, celle de Georges-Hébert Germain, laisse croire que c'est Michel Dion, qui connaissait un peu René Angélil (n'oublions pas que Angélil est toujours un personnage très connu au Québec, ayant fait du bon travail avec Ginette Reno, et qu'il est marié avec Anne Renée, une vedette de la télévision), qui lui aurait fait écouter le «démo» sur lequel chante sa petite sœur. C'est d'ailleurs cette version qui a toujours circulé parce que René Angélil a toujours prétendu avoir été le premier à découvrir le talent de Céline Dion. Le véritable rôle joué par Paul Lévesque n'a été connu qu'en 1997, dans les deux biographies qui ont été publiées sur la vie de Céline. Jamais René Angélil n'a mentionné le nom de Paul Lévesque pendant toutes les années qu'il a géré la carrière de Céline Dion. Il semble donc que la version de Beaunoyer soit la plus plausible.

La découverte

Ce qui est sûr, cependant, c'est que lorsqu'il a entendu l'enregistrement des trois chansons de Céline Dion, René Angélil a été conquis. Pendant toutes les années qu'il dirigera la carrière de Céline Dion, il conservera toujours la même grande admiration pour la chanteuse. Encore aujourd'hui, les frissons lui parcourent le corps quand il entend et voit Céline Dion sur scène. Cette admiration ne se démentira jamais.

Presque tout le monde connaît la fameuse histoire

du micro. Après avoir entendu les trois chansons, il a demandé à rencontrer la jeune Dion. Elle s'est présentée à son bureau, a pris un stylo en guise de micro et lui en a mis plein la vue et les oreilles. C'est à partir de ce moment que René Angélil décidera de s'occuper de la carrière de Céline Dion et de la conduire aux plus hauts sommets.

Paul Lévesque, celui qui a découvert Céline Dion et qui a permis à René Angélil de rencontrer la jeune fille, a une vision différente de celle d'Angélil. Thérèse Dion et, surtout, René Angélil, étaient pressés de faire de Céline une véritable chanteuse. Quant à Paul Lévesque, il m'a déjà dit en entrevue: «Je ne sais pas comment la carrière de Céline se serait développée si j'étais demeuré son seul gérant. Je n'étais pas d'accord qu'une petite fille de douze ans à peine quitte l'école pour faire carrière dans la chanson. Je ne trouvais pas ça normal. Je voulais prendre bien mon temps, lui montrer d'autres choses que la chanson. Avec le talent qu'elle a, j'aurais pu très bien réussir moi aussi, mais pas à cette vitesse. De toute façon, je ne veux pas trop parler de cette période. Ce qui est fait est fait.» Quelques années plus tard, René Angélil arrivera à écarter Paul Lévesque de la carrière de Céline Dion.

Encore une fois, comme après les Baronets, comme à la suite de sa séparation d'avec Guy Cloutier, de son petit succès avec Johnny Farago et, surtout, de la perte de la gérance de la carrière de Ginette Reno, la bonne étoile de René Angélil refait surface. La tâche ne serait pas facile, mais il croyait au produit qu'il venait d'entendre et il avait la foi. La Providence venait de mettre sur sa route une petite fille de Charlemagne.

La naissance d'une star

René Angélil a vite compris, comme dans la carrière de Ginette Reno, qu'il faut des chansons originales pour

Céline. Il peut compter sur *Ce n'était qu'un rêve* et *Grand-maman*, mais on ne fait pas un album avec deux chansons. Il reprend donc contact avec Eddy Marnay et le fait venir au Québec sans lui dire que sa découverte n'a que douze ans. Pour mettre toutes les chances de son côté, il amène Eddy Marnay chez les Dion et lui fait entendre la voix de Céline. Marnay a évidemment été emballé par la talent de la jeune fille et a accepté d'écrire des chansons pour elle.

Les déboires de René Angélil ne sont pas pour autant terminés. Il a besoin d'argent pour enregistrer le premier album de Céline Dion. La légende — et, surtout, les propos de René Angélil — veut qu'il a hypothéqué sa maison pour permettre à Céline d'enregistrer son premier disque. Mais le journaliste Jean Beaunoyer, bien documenté, prétend que la maison d'Angélil était déjà hypothéquée en 1979. Le journaliste va plus loin en disant que René Angélil, qui n'avait plus de revenu, a fait une demande d'emprunt personnel de 50 000 $, que la banque a refusée.

Loin de se décourager, René Angélil est parvenu à convaincre Michel Jasmin d'inviter Céline à son populaire *talk-show*, après lui avoir fait entendre *Ce n'était qu'un rêve*. La petite fille se débrouille fort bien, même si son maintien et son langage manquent de fini.

Il n'y a sans doute pas une carrière, aussi fructueuse soit-elle, qui fonctionnerait sans un coup de chance. Pour René Angélil, cette chance se nomme les disques Trans-Canada. Denys Bergeron, le fils d'Henri Bergeron (un animateur et un lecteur de nouvelles qui a travaillé à Radio-Canada pendant de très nombreuses années), dirige la compagnie de disques. Denys, qui, soit dit en passant, est marié avec la comédienne, chanteuse et animatrice Christine Lamer, celle qui a remplacé Paule Bayard pour la voix de la marionnette Bobinette à la populaire émission *Bobino*, veut rentabiliser le plus possible le premier album de Céline Dion. Comme il connaît assez bien Eddy Marnay, qui a déjà écrit une chanson pour sa femme, il croit au premier album de Céline et accepte de le financer, mais à la condition que la chanteuse fasse deux disques. Le premier, intitulé *La Voix du bon Dieu*, est presque entièrement écrit par Eddy Marnay, sauf pour *Ce n'était qu'un rêve* et *Grand-maman*. Plus tard, *Céline Dion chante Noël* se retrouvera sur les tablettes. Denys Bergeron considère que le risque est moins grand en faisant un disque de Noël, car c'est généralement considéré comme bon vendeur. Si *La Voix du bon Dieu* a des difficultés, le disque de Noël compensera. De toute façon, Angélil ne désire qu'une chose, avoir un premier disque à offrir au public comme carte de présentation.

Le lancement de *La Voix du bon Dieu* a été organisé par René Angélil lui-même et Mia Dumont, une ancienne attachée de presse qui connaît le métier. Ce lancement, quand même assez imposant, car il faut bien faire connaître la jeune chanteuse, a eu lieu à l'hôtel Bonaventure. Mia Dumont est responsable des relations de presse avec les médias, domaine que René Angélil connaît moins, alors que ce dernier s'occupe de la presse populaire (le *Journal de Montréal*, *Échos Vedettes* et plusieurs autres qui existaient à cette époque). Après tout, il est issu de ce milieu et il a très souvent travaillé avec les journaux artistiques, quand il gérait des carrières d'artistes et, surtout, lorsqu'il faisait partie des Baronets. Bref, il nage comme un poisson dans l'eau dans ce milieu. René Angélil a pris le contrôle définitif de la carrière et de la vie de Céline Dion. À partir de ce moment, tout se déroulera très vite. En moins de quinze ans, René Angélil parviendra à faire de Céline Dion ce qu'elle est aujourd'hui.

Le seul hic dans toute cette histoire, c'est Paul Lévesque. Celui-ci tenait avant tout à garder la gérance générale, laissant à René Angélil la production des disques. Contrat en poche, Lévesque refuse de signer une entente avec René Angélil qui veut contrôler entièrement la carrière de la jeune chanteuse. Il n'est pas question, pour le nouvel imprésario, de laisser aller le morceau. Le conflit durera plusieurs mois.

On découvre, pendant cette période, le vrai caractère de joueur chez Angélil, l'homme ambitieux et prêt à tout pour atteindre son but: il est devenu très ami avec la famille Dion. Il est souvent à Charlemagne, à rêver de projets avec Céline, Thérèse et les autres enfants. Anne Renée l'accompagne quelquefois chez les Dion et, quand elle a abandonné l'émission *Les Tannants*, à Télé-Métropole, elle a fondé avec son mari, la compagnie TBS, le 30 mars 1982, le jour du quatorzième anniversaire de Céline. Elle est la seule propriétaire et présidente de cette compagnie, René Angélil n'étant qu'un salarié. Anne Renée jouera un rôle plus effacé dans la carrière de la petite fille de Charlemagne, mais son apport aura certes une influence.

Il faut régler avant tout le cas Lévesque. Thérèse Dion a souvent dit à Paul Lévesque qu'elle lui retirait sa confiance, que le vrai gérant de Céline, c'était René Angélil. Mais il fallait que Lévesque consente à déchirer le contrat qui le liait à Céline et sa famille jusqu'en 1985, soit jusqu'à la majorité de la jeune chanteuse. René Angélil, accompagné de son avocat Jacques Desmarais, est parvenu à convaincre Lévesque. Lors d'une rencontre, ce dernier, désabusé de la situation, a abandonné la lutte, laissant tous les pouvoirs à René Angélil. Comme s'il jouait aux cartes, Angélil a bluffé en laissant croire à Lévesque qu'il abandonnerait Céline si ce dernier n'acceptait pas un arrangement. Plutôt que de tout perdre, Paul Lévesque a laissé tout le contrôle à René Angélil. Paul Lévesque a dû accepter environ 6 % des revenus de Céline pendant les cinq ans qui restaient au contrat qu'il avait signé avec Mme Dion. Le joueur vient de gagner la partie.

* * *

On ne sait pas grand-chose de la vie privée de René Angélil à ce moment. Il travaille fort, ne semble pas trop se préoccuper de ses enfants. De toute façon, Anne Renée y voit. René est presque toujours à Charlemagne, élabore des projets et cherche des endroits où faire chanter Céline. À l'occasion, il part jouer quelques dollars dans les casinos avec des amis.

Le premier album de Céline, sans être un gros succès, s'est quand même bien vendu, soit cent mille exemplaires, et fait ses frais. Le disque de Noël a connu un succès mitigé. Après tout, personne ne connaissait vraiment encore cette jeune fille.

Comme à son habitude, René Angélil a su s'entourer. Il n'a évidemment perdu aucune relation en France, relations qu'il avait établies pour lancer la carrière de Ginette Reno. Il dira un jour: «J'ai appliqué, à Céline Dion, exactement le même plan que j'avais préparé pour Ginette Reno.» Avec Eddy Marnay et Claude Pascal, il savait que les Français finiraient bien par se laisser charmer. Eddy Marnay avait travaillé avec les plus grands, d'Édith Piaf à Nana Mouskouri en passant par Mireille Mathieu, une très grande vedette au début des années 1980.

Anne Renée

Quelques morceaux du puzzle sont en place: René Angélil, l'imprésario, Anne Renée pour l'image et le maintien, une relationniste et Eddy Marnay pour ses connaissances de la France. Cependant, René n'ignore pas qu'Eddy Marnay éprouve des difficultés à vendre la jeune vedette aux Français. Pathé-Marconi a accepté d'enregistrer et de distribuer en France *Ce n'était qu'un rêve* sur «45 tours», mais la compagnie ne s'est pas montrée très chaleureuse à l'idée de produire un album complet des chansons de Céline. De plus, les Français veulent avoir un droit de regard sur la gérance. On sait que les artistes, les chanteurs et les chanteuses, encore aujourd'hui, doivent souvent se plier au goût des producteurs qui disent avoir le pouls du public. Certains artistes s'y plient, d'autres refusent complètement de faire des concessions, risquant, en ce faisant, de ralentir leur carrière. C'est ce qu'a fait Angélil: il s'y est catégoriquement refusé. Il a dû avoir l'impression que, chaque fois qu'il peut enfin gérer un talent et gagner sa vie, quelqu'un, qu'il se nomme Alain Charbonneau ou Paul Lévesque, lui met des bâtons dans les roues. Il ne va sûrement pas se laisser faire. Il a un magnifique jeu entre les mains et ne veut pas le partager.

Deux événements lanceront définitivement la carrière de Céline en Europe et, encore une fois, la chance ou la vision de René Angélil propulsera sa chanteuse au sommet de la gloire. Une prestation de Céline au MIDEM, la grande foire de la chanson, en 1982 et Pathé-Marconi, qui a produit le disque *Tellement j'ai d'amour*, parviennent à intéresser les Français, et plus particulièrement les stations de radio où on y entend de plus en plus la chanteuse. Le succès est si grand que la France choisit Céline Dion pour la représenter au grand concours Yamaha, au Japon, avec la chanson *Tellement j'ai d'amour*, concours qu'elle remporte. Comme on le sait, cette victoire, comme celle de René Simard, quelques années auparavant, lance sa carrière européenne. Eddy Marnay, qui, il faut l'avouer, a vraiment pris beaucoup de place (il n'est pas exagéré de dire que, sans sa présence en France, il est loin d'être certain que René Angélil aurait réussi une percée), parvient à faire inviter Céline Dion à l'émission *Champs Élysées* de Michel Drucker, en 1983. Celle-ci est télédiffusée aussi au Québec et René Angélil, extrêmement nerveux, voit sa protégée donner une bonne performance et impressionner Michel Drucker, l'homme qui a toujours voué un grand respect aux talents québécois.

Si Eddy Marnay a joué un grand rôle pour la carrière de Céline en France, celle qui a commencé à façonner la personnalité de la jeune chanteuse est Anne Renée: tenue vestimentaire, maintien, langage, apparence physique et, surtout, attitude en entrevue télévisée, Anne Renée a dirigé Céline avec beaucoup d'habileté. À cette époque, Céline n'a que quinze ans et sa «cour» l'accompagne toujours quand elle quitte le pays: maman Dion est toujours présente; Anne Renée accompagne souvent son mari; Eddy Marnay et Mia Dumont, l'attachée de presse, sont aussi dans son entourage. Pour une jeune adolescente, tous ces adultes ne semblent pas la déranger. Elle ne pense qu'à sa carrière et son désir de réussir est plus grand que tout ce qu'on peut penser. Par exemple, René Angélil a déjà dit en coulisses, lors d'une conférence de presse de l'ADISQ, qu'il avait regardé la soirée des Grammys, le gala américain où on récompense l'industrie du disque, avec Céline et que cette dernière ne cessait de lui dire: «On va y aller nous aussi, je vais monter sur cette scène, dis-moi que je vais être là dans quelques années.» René Angélil lui avait dit oui, mais il se demandait comment il allait s'y prendre, comment il parviendrait à faire tout ce chemin. Si René Angélil était ambitieux, il ne faut pas oublier que Céline l'était aussi, peut-être même plus que son gérant.

Anne Renée a donc contribué à créer l'image de

Céline. Aidée de Mia Dumont, l'ancienne chanteuse et animatrice ne s'est jamais vraiment mêlée du choix des chansons de Céline, mais elle a réussi à lui donner une allure, une contenance. Céline lui en a été fort reconnaissante. Voici d'ailleurs ce que la jeune chanteuse a dit d'Anne Renée: «Quand j'ai connu René Angélil, il y avait aussi Anne Renée, son épouse et son associée. C'est une femme que j'adore. C'est la seule, dans mon entourage, qui peut vraiment comprendre ce que je ressens. Anne Renée a commencé très jeune dans le *showbiz*. À treize ans, elle chantait. Quand je l'ai connue, elle était une des vedettes les plus populaires d'une émission de télévision québécoise. Quand j'ai rencontré René, j'étais une petite

Marié avec Anne Renée depuis le 23 juin 1973, René Angélil accepte de s'occuper de la carrière de Céline Dion en 1980. Anne Renée contribuera à améliorer le maintien et l'image de la jeune chanteuse.

fille timide, renfermée, gauche. Anne a proposé de me prendre en main. Pendant plus de trois mois, nous avons travaillé ensemble et elle m'a appris comment me débarrasser de toutes mes hantises. Elle m'a complètement changée. Aujourd'hui, je peux parler à n'importe qui, je n'ai aucune gêne. Ce que j'aime, chez Anne, c'est qu'elle comprend que je n'ai que quinze ans, que parfois j'en ai assez d'être toujours avec des adultes. Que j'ai envie de m'évader. Je la considère comme une sœur. Il nous arrive de faire l'école buissonnière. Quand nous sommes à l'étranger, nous faisons les boutiques, nous allons au cinéma, nous faisons mille et une choses, et nous ne disons rien à personne. Nous faisons des blagues, nous jouons des tours. Et puis, quand arrive le temps d'un spectacle, elle voit à tout. Rien ne lui échappe, aussi bien un faux pli sur mes toilettes qu'un éclairage défaillant. Elle dit très souvent qu'elle a été très heureuse pendant les années où elle a été une artiste, mais qu'elle est encore plus heureuse depuis qu'elle est imprésario. Mon imprésario.»

La faillite

Curieusement, pendant tout ce temps, René Angélil parvient assez facilement à cacher ses problèmes financiers. Certains créanciers s'inquiètent et reprochent à René Angélil de ne pas tout dire. Pour expliquer son manque d'argent, il raconte que la compagnie TBS ne lui appartient pas, qu'il y travaille presque bénévolement, ayant une rémunération d'environ 60 $ par mois, et qu'il n'est pas le gérant de Céline Dion. N'oublions pas qu'Anne Renée est la présidente de TBS et que la compagnie n'a pas de dettes. Pourtant, dans les journaux, René Angélil se dit le gérant de Céline Dion et cette dernière, à l'émission de Michel Drucker, dit tout le bien et le respect qu'elle a pour son gérant, René Angélil. Les créanciers sont en possession de ces déclarations et croient que René Angélil utilise le nom de son épouse et celui de TBS pour se cacher de ses créanciers. Pour éviter des poursuites, le 23 janvier 1983, Angélil déclare donc une faillite personnelle d'un quart de million de dollars. On comprend mieux maintenant pourquoi, quand il a rencontré Céline Dion, il a fondé, avec Anne Renée, la compagnie TBS et fait de son épouse l'unique propriétaire.

Les années suivantes seront constituées d'une suite d'engagements, de spectacles et d'albums qui connaîtront beaucoup de succès. Le talent de Céline Dion fait boule de neige et, à un certain point, René Angélil n'a qu'à analyser les offres et à faire les bons choix. On doit admettre que le talent qu'il déploie dans cette partie de son travail ne laisse pas beaucoup de place à l'erreur et il en commet très peu. Si la France est plus difficile à conquérir, le Québec est à genoux devant la jeune chanteuse.

René Angélil a toujours été un amateur de sport. Nous savons que, plus jeune, il a pratiqué plusieurs sports, tout comme il aime bien aussi en regarder à la télévision ou assister en personne à des parties de baseball ou de hockey. Il est très ami avec Pierre Lacroix, un ancien agent de joueurs de hockey professionnel, devenu directeur général du club Avalanche du Colorado. René Angélil a même invité le gardien de but Patrick Roy à son mariage.

En 1981, il a réussi à faire engager Céline pour chanter les hymnes nationaux au Stade olympique avant le début des parties de baseball des Expos. Angélil avait rencontré Rodger Brulotte, célèbre analyste de baseball engagé par l'équipe, quand Céline avait fait sa première apparition à la télévision, à l'émission de Michel Jasmin. Brulotte avait été impressionné et l'imprésario en avait profité pour lui demander s'il était possible que Céline chante les hymnes nationaux. Brulotte parvient facilement à vendre le talent de Céline aux Expos. Il ne s'agissait pas d'un gros contrat, mais il savait que cela donnerait beaucoup de visibilité à Céline. Car en plus des spectateurs du stade, comme la majorité des parties de baseball étaient télévisées, son audience s'accroissait ainsi grandement. Un autre gérant plus «intellectuel» n'aurait peut-être pas eu l'idée de proposer son artiste pour chanter les hymnes nationaux dans de telles circonstances. Sans le savoir, cette expérience sera utile à Céline beaucoup plus tard et dans un contexte beaucoup plus stressant lorsqu'elle chantera devant des millions de téléspectateurs lors de l'ouverture des jeux Olympiques d'Atlanta, en 1996.

1983 et 1984 sont des années charnières pour René Angélil et Céline Dion. En plus de connaître du succès sur disques — plus de cent mille copies vendues de *Tellement j'ai d'amour pour toi* et plus de cinq cent mille de *D'Amour et d'amitié*, au Québec et en France —, les spectacles attirent des foules importantes. C'est en 1983 que le gala de l'ADISQ, nommé ironiquement quelques années plus tard par quelques journalistes «le gala Céline Dion», décerne quatre Félix à la jeune chanteuse qui n'a pas encore seize ans. René Angélil est discret à ce moment. La machine commence à être bien huilée. Il fait moins parler de lui.

Si René Angélil avait proposé aux Expos d'engager Céline, il n'aurait jamais pensé aller rencontrer le clergé québécois et lui offrir les services de l'adolescente pour chanter lors de la visite du pape Jean-Paul II au Canada, en 1984. Avant même de faire appel aux services de Céline Dion, on a déjà une bonne idée de la fête qu'on prépare. Paul Baillargeon a composé une musique sur des paroles de Marcel Lefebvre. La chanson s'intitule *Une Colombe*. On a d'abord pensé à René Simard et même à Martine Chevrier, une jolie adolescente avec une belle voix, un peu plus âgée que Céline, pour interpréter la chanson devant 60 000 personnes au Stade olympique, mais rapidement, le consensus se fait autour de Céline Dion. On prend donc contact avec René Angélil, qui, à ce moment-là, se trouve à Paris, et la réponse est immédiate.

Le 11 septembre 1984, Céline chante donc encore une fois, au Stade olympique, mais cette fois-ci pour l'un

Entre 1980 et 1984, René Angélil passe beaucoup de temps avec la famille Dion, le père de Céline, Adhémar et sa mère, Thérèse.

des hommes les plus puissants au monde, sûrement un des plus connus, le pape. Il ne s'agit pas d'une grande performance pour Céline. *Une Colombe* n'est pas une chanson extraordinaire, mais sa voix lui permet d'attirer l'attention de millions de gens qui la voient et l'entendent pour la première fois à la télévision.

Puis, un peu plus tard, grâce à Eddy Marnay, René Angélil parviendra à faire en sorte que Céline se produise à l'Olympia de Paris, en première partie de Patrick Sébastien, un chanteur et humoriste. Faire l'Olympia est une bonne chose, et René Angélil a eu la bonne idée de ne pas faire chanter sa protégée en première partie d'une très grosse vedette comme Julien Clerc ou encore Johnny Hallyday. Les gens qui se déplacent pour voir des artistes aussi idolâtrés ne s'intéressent pas à l'artiste qui fait la première partie. Cette aventure sur une scène parisienne ne sera pas un échec, mais elle ne sera pas non plus déterminante dans sa carrière. Du travail bien fait, somme toute.

Toutefois, pour l'imprésario, tout ne tourne pas rondement dans sa vie amoureuse. Père absent, il était aussi un mari très peu souvent à la maison. Il ne faut pas s'en étonner outre mesure. Depuis qu'il s'occupe de la carrière de Céline, il est rarement chez lui. La famille Dion est presque devenue sa famille principale et Anne Renée, belle et encore jeune, commence à trouver la situation passablement difficile à vivre.

La vie continue. Pendant cette période, les albums de Céline se vendent bien, tant au Québec qu'en France.

Chapitre 6
La fin d'une histoire d'amour

Céline n'est pas encore une véritable idole en France. Elle est souvent invitée à différentes émissions de télévision, on la reconnaît, mais on ne peut pas s'asseoir sur cette gloire éphémère. René Angélil est très souvent à Paris, presque toujours accompagné de maman Dion, puisque Céline est toujours mineure et sa mère, encore sa tutrice.

Pendant ce temps, Anne Renée et la compagnie TBS s'occupent de la carrière de Peter Pringle, un jeune anglophone à la personnalité très forte, qui chante très bien en français avec un petit accent. Cultivé et intéressant, Peter Pringle est souvent invité à la télévision et il est un bon ami de Michel Jasmin, dont l'étoile commence cependant à pâlir. On prête même des relations intimes entre Peter Pringle et Anne Renée, ce qui a toujours été nié par les deux intéressés.

La séparation
Mais le torchon brûle entre René Angélil et son épouse. En décembre 1985, Anne Renée inscrit une demande en

Céline quitte définitivement l'école pour se consacrer à sa carrière à plein temps.

divorce tout en exigeant la garde des enfants, Jean-Pierre, alors âgé de onze ans (né le 23 mars 1974) et Anne-Marie, huit ans (née le 12 juin 1977). Elle dépose sous serment une déclaration, en 1985, qui n'est pas très élogieuse pour son époux. Cette déclaration a été reprise dans le livre de Jean Beaunoyer, *Céline Dion une femme au destin exceptionnel* (p. 120 à 123). En voici un court résumé et quelques extraits:

Tout d'abord, Anne Renée reproche à son mari de faire preuve d'une certaine violence: «(...) Après une première visite des policiers, dit-elle dans sa déclaration, qui semblait avoir rétabli la situation, je suis retournée me coucher, mais l'intimé [René Angélil] a recommencé son harcèlement et sa violence, et s'est livré à des voies de fait sur ma personne en me frappant à plusieurs reprises, de telle manière que j'ai dû faire appel aux policiers (…)» Après avoir quitté le domicile conjugal sous la protection de la police, Anne Renée est allée se réfugier chez sa mère.

Le reste de la déclaration ne parle plus de violence physique, et la dispute se transforme en menace sur le plan monétaire. «En effet, l'intimé m'a déclaré que si je continuais les procédures de divorce, je me retrouverais, avec les enfants, à la rue, car il était très simple pour lui d'incorporer une nouvelle compagnie, de se faire payer un petit salaire et d'être ainsi incapable de payer une pension alimentaire.»

À la lecture de la déclaration (plus de quatre pages), il ne fait aucun doute que plus rien ne fonctionne entre René Angélil et Anne Renée. Une tentative de réconciliation a été faite environ six mois plus tard, mais sans succès. Depuis quelque temps, Anne Renée est délaissée par son mari et, même au plus fort de la dispute qui conduira au divorce, René Angélil est allé passer quelques jours à Las Vegas pour jouer au casino.

De toute évidence, la réconciliation était impossible. Le divorce a été prononcé le 3 mars 1986. René Angélil ne s'est pas présenté au palais de justice et l'histoire a fait la une des journaux. Une fois le divorce prononcé, Anne Renée et René Angélil sont devenus des amis. On a vite tourné la page. Ils ont été mariés officiellement pendant 13 ans (1973-1986), mais les deux dernières années de leur mariage ont été plutôt mouvementées.

René Angélil applique à sa vie ce qu'il applique au jeu, devant une table de black-jack, peut-être par instinct, peut-être par expérience. C'est exactement ce qu'il a fait lors des périodes difficiles de son mariage avec Anne Renée. «Au black-jack, dit-il, il faut savoir attendre. Quand le croupier gagne toujours, on mise moins, on attend que la chance tourne. Même chose dans la vie. Quand les choses ne vont pas bien, on se terre, on ne prend pas de décision importante, on se tait. Quand on sent que la tempête est passée, on fonce, on fait des gestes qui devraient être gagnants.»

De toute évidence, René Angélil a appliqué cette maxime dans sa vie privée.

La tempête a passé et, en 1986, quelques mois après l'annonce du divorce, Anne Renée, recyclée dans les vidéoclips, produit le tout premier vidéo de Céline Dion sous la bannière JPL Productions, une filiale de Télé-Métropole, qui existe encore et qui produit des séries pour la télévision. On a investi beaucoup d'argent pour réaliser

le clip de la chanson *Fais ce que tu voudras*, d'Eddy Marnay. En effet, en 1986, MusiquePlus vient tout juste d'entrer en ondes et le clip est une nouveauté.

Anne Renée a vécu quelque temps avec un autre homme, puis elle a rencontré l'amour en Californie. Elle vivrait encore avec cet homme aujourd'hui.

En 1984, Céline lance Les Plus Grands Succès de Céline Dion, *son septième album. René Angélil ne roule pas encore sur l'or à cette époque*

Les grands changements

Malgré ses difficultés personnelles, René Angélil semble toujours aussi motivé à travailler. En 1985, Céline reçoit cinq Félix au gala de l'ADISQ et enregistre deux nouveaux albums, *C'est pour toi* et un premier disque *live*, *Céline Dion en concert*. Mais quelque chose doit être fait pour éviter que sa carrière ne stagne. Les ventes de disques sont bonnes, la machine roule assez bien, mais on doit apporter un changement, prendre un virage.

Après sa séparation, René Angélil n'a pas perdu de temps : il a immédiatement formé une compagnie, les Productions Feeling Inc. En 1982, après que René Angélil eut réussi à écarter complètement Paul Lévesque du décor (le dossier a pris un peu plus de temps à se régler entièrement), l'imprésario signe un contrat avec Céline Dion et sa mère. Ce contrat est assez conforme à ce qu'on peut trouver dans le milieu, à cette époque. Sauf pour une clause cependant, qui stipule que René Angélil a le contrôle complet sur l'habillement, le comportement et les activités de l'artiste. Le contrôle total. Ce contrat prendra fin le jour des 18 ans de Céline Dion, soit le 30 mars 1986. Puis, à sa majorité, Céline Dion et René Angélil fondent les Productions Feeling. Des rumeurs ont circulé à l'effet que René Angélil travaillait à salaire pour Céline Dion. Jamais personne n'a cru à cette histoire.

L'année 1986 et le début de 1987 ont été marquants pour René Angélil. L'album *C'est pour toi* n'a pas connu de succès. En 1986, René Angélil produit un autre album des plus grands succès, *Les chansons en Or* (toujours sur étiquette TBS), qui n'a pas été très populaire non plus. En fondant les Productions Feeling Inc., René Angélil sait très bien qu'il n'a pas les moyens de produire les prochains albums de Céline. Il doit donc convaincre une grosse compagnie de disques et, dans son for intérieur, il sait que la carrière de Céline ne peut aller plus loin si on n'attaque pas le marché anglophone. Céline peut chanter en anglais, presque sans accent, mais elle ne parle pas un traître mot de cette langue. Elle profite d'une année sabbatique pour, entre autres, apprendre l'anglais, langue qu'elle est parvenue à maîtriser assez facilement et ce, presque sans accent. De plus, elle a besoin d'un bon *lifting* pour améliorer son menton proéminent, ses grandes dents et ses cheveux qui ressemblent à de la laine d'acier. Maintenant que Céline Dion a passé de l'adolescence à l'âge adulte, bonjour les grands changements! Pendant près d'un an, la chanteuse travaille très fort pour changer son image. Elle apprend donc l'anglais, subit quelques petits changements physiques, dont un travail d'orthodontie qui règle définitivement sa mauvaise dentition. La rumeur voulant qu'elle aurait subi une petite intervention pour diminuer son menton pointu a été lancée, mais non vérifiée. D'ailleurs, à chaque sortie officielle de Céline, les journaux s'empressent de montrer «l'avant» Céline et «l'après» Céline.

Elle ne néglige pas non plus son chant en prenant des cours. Elle a perdu Mia Dumont et, surtout, Anne Renée qui ne sont plus là pour l'aider dans tout l'aspect hors scène de son travail. Elle suit aussi des cours de danse avec Peter George. Elle travaille fort aussi pour perdre ce son nasillard encore trop prononcé qui sort de sa bouche quand elle doit pousser une note plus aiguë. Pendant plus d'un an, on n'a pas beaucoup entendu parler de Céline Dion.

Les rumeurs

Évidemment, diverses rumeurs ont circulé à ce moment-là. Il ne se passait pas une semaine, à cette époque, sans qu'une personne, pas toujours de «source sûre», téléphone aux journalistes artistiques pour donner des informations concernant Céline et René. Voici d'ailleurs quelques rumeurs entendues à cette époque, qui se sont toutes avérées fausses et sans fondement.

— Elle se cache à Laval pour mettre un enfant au monde, qu'elle donnera en adoption.

— Elle se trouve dans une clinique de désintoxication pour régler un grave problème de cocaïne. D'ailleurs, un individu s'est présenté à notre bureau pour nous offrir ses services afin de faire de la filature, de découvrir la clinique de désintoxication où Céline se cache et de nous fournir l'information, moyennant, il va s'en dire, une somme d'argent. Le journal n'a évidemment pas cru à cette histoire farfelue.

— Elle ne se cache pas à Laval, mais à Las Vegas avec René Angélil où le couple s'est marié en cachette. Cette rumeur a pris de l'ampleur parce que des gens ont effectivement vu René Angélil à Las Vegas, mais sans la présence de Céline.

— Céline est entrée au couvent!

Le malaise cardiaque

Les premiers mois de 1986 ont été très éprouvants pour René Angélil. Les tournées avec Céline, les voyages à Paris où la carrière de sa vedette connaît des hauts et des bas, le divorce d'avec Anne Renée ont laissé des marques.

Par une belle journée d'automne de cette même année, René Angélil se trouve sur un terrain de golf à Sainte-Adèle, ce sport qui est devenu pour lui une grande passion, avec Marc Verreault, Guy Cloutier — avec qui il s'était réconcilié depuis un bon bout de temps — et ses enfants, Jean-Pierre et Anne-Marie. Il ne se sent pas bien, n'a pas le même entrain et ne parle pas beaucoup. Guy Cloutier, inquiet, le convainc d'aller à l'hôpital de Saint-Jérôme où on le garde deux jours. Par amitié, Anne Renée est même venue à son chevet. Par la suite, parce qu'il a eu un malaise cardiaque, il subit une batterie de tests à l'Institut de cardiologie de Montréal, mais on ne détectera pas de problèmes particuliers. Le stress, l'embonpoint (parce qu'il traîne un surplus de poids de plus de 13 kg) et, surtout, la mauvaise alimentation font de René Angélil un homme qui n'est pas en très bonne santé. D'ailleurs, il le sait très bien. Il a souvent dit que son péché mignon, ce n'est ni la cigarette ni la boisson, mais la nourriture. Le *fast food* l'intéresse autant que les repas gastronomiques et pour l'avoir déjà vu dans un cocktail, je peux témoigner qu'il adore manger. Il promet donc de se reposer, de faire attention à son alimentation et à sa santé.

Quoi de mieux pour se reposer que d'aller faire un petit tour à Las Vegas! René Angélil, qui n'a jamais eu une aussi longue vacance et, surtout, autant d'argent en poche, a installé ses quartiers généraux au Caesar's Palace. Ses amis, Paul Sara, Jacques Desmarais, Marc Verreault, Guy Cloutier et quelques autres, se succèdent au fil des semaines. On met en œuvre la fameuse théorie des séquences chanceuses et malchanceuses ainsi que celle du quitte ou double. On gagne beaucoup et on perd beaucoup.

Cette étape dans la vie de René Angélil n'a été qu'un arrêt pour mieux sauter, pour monter plus haut. Bien reposé, il retrouve une nouvelle Céline à la fin de 1986 et espère que le virage sera réussi.

Chapitre 7
La grande aventure

En formant les Productions Feeling inc. (le mot *feeling* a probablement été choisi parce qu'une des chansons fétiches de Céline Dion a été *What a Feeling*, tirée du film *Flash Dance*, très populaire au début des années 1980), René Angélil sait qu'il n'a pas les reins assez solides pour produire lui-même les prochains albums de Céline, du moins de s'offrir la qualité dont il rêve. Il lui faut donc trouver un excellent producteur de disques et rêve de signer un contrat avec la même compagnie de disques que Michael Jackson, CBS, qui deviendra un peu plus tard Sony Music, dont les bureaux sont situés, entre autres, à Montréal.

Dans le milieu du disque, tant au Québec que dans le monde entier, un petit groupe de gens décident de ce que le public va entendre ou non. Si le son n'est pas au goût des producteurs, un chanteur ou une chanteuse aura beaucoup de difficultés à trouver une compagnie de disques. Cette façon d'agir explique pourquoi plusieurs artistes décident de former leur propre compagnie pour enregistrer leur album. Cependant, les désavantages de cette façon de faire sont très grands: les coûts pour l'enregistrement d'un album sont astronomiques, et les réseaux de distribution sont généralement assez gourmands. De plus, un individu seul ne bénéficie pas, non plus, d'une équipe promotionnelle travaillant à faire connaître son album. Par exemple, aujourd'hui chez Sony, des gens sont engagés à temps plein pour faire connaître les produits. Ces personnes se déplacent de station de radio en station de radio, visitent les bureaux de tous les médias, tant régionaux que nationaux, donnent des disques, vantent l'artiste qu'ils veulent faire connaître. Plus la compagnie est grosse, plus la promotion fait du bruit.

Depuis les tout débuts, René Angélil produit ses disques sur étiquette TBS, et Trans-Canada les distribue. Puisque le dernier album de Céline, *C'est pour toi*, n'a vraiment pas connu un gros succès — on parle de moins de cinquante mille exemplaires vendus —, Trans-Canada décide de ne pas s'engager dans le prochain album. René Angélil fait face alors à un mur. Il peut toujours produire lui-même le prochain album de sa protégée, mais il sait très bien que, malgré le changement de l'adolescente en jeune femme, même s'il arrive sur le marché avec un produit impeccable, les rêves qu'il poursuit avec Céline depuis maintenant plus de cinq ans ne se réaliseront jamais sans distributeur.

Comme le hasard a toujours bien servi René Angélil, ce dernier rencontre Bill Rotari, le grand patron de CBS, et lui raconte une romance comme lui seul sait le faire: il ne veut plus rien savoir de Trans-Canada, il en a assez des petits producteurs, Céline va devenir «big» et il se cherche une compagnie de disques sûre, compétente et, surtout... riche. Rotari demande alors à son directeur artistique, Vito Luprano, de surveiller la jeune chanteuse. Celui-ci avait entendu parler de Céline Dion par l'entremise de son épouse de l'époque, Lise Richard (celle-ci travaillait alors chez Trans-Canada; elle est aujourd'hui la gérante de Lara Fabian et de Roch Voisine). À prime abord, Céline, cette chanteuse pas assez rock'n'roll à son goût, n'intéressait pas du tout Luprano. Mais, après l'avoir entendue chanter et avoir été convaincu que Céline Dion peut interpréter autre chose que des chansons d'ado-lescentes (trop fleur bleue, pas assez rock'n'roll), les né-gociations ont pu commencer avec le clan Angélil et celui de la très respectueuse CBS.

Incognito

C'est bien beau avoir une belle grosse compagnie derrière soi, mais qu'est-ce qu'on met sur le disque? Nous sommes en 1986, et le plus populaire des auteurs de chansons au Québec et en France s'appelle Luc Plamondon. Si *Starmania*, le spectacle musical qui fait courir le Québec et la France, est déjà bien en place, il ne s'agit pas d'un coup de chance. Plamondon écrit des chansons depuis les années 1970. Il a d'abord écrit, avec François Cousineau, de petits chefs-d'œuvre pour Diane Dufresne: *Le Parc Belmont*, *Chansons pour Elvis*, *L'homme de ma vie*. Ajoutons à cela *Cœur de rocker* et *La fille aux bas nylon* que Julien Clerc a interprétés, des numéros un au pal-marès, et toutes les chansons de *Starmania* que le com-positeur a écrites avec Michel Berger et que tous les artistes de la francophonie ont chanté.

La grande force d'Angélil est de choisir les bonnes personnes pour parvenir à ses fins. Pendant l'arrêt à l'été 1986, Angélil sait déjà qu'il veut Plamondon comme au-teur de quelques chansons sur le prochain album de Céline. Plamondon hésite: connaissant déjà la petite Dion, et malgré qu'elle ait bien changé, il ne savait pas trop ce qu'il pourrait faire avec elle. Il avait presque toujours écrit des chansons assez torturées, pour des vedettes tout aussi «in-térieures» telles que Diane Dufresne, Barbara et Catherine Lara. Écrire pour une adolescente n'a pas la même signi-fication. Mais, comme à son habitude, quand René Angélil doit convaincre quelqu'un, il est imbattable. Il est parvenu à convaincre Plamondon de se mettre au travail, mais avant, l'auteur a voulu voir la «petite». Il l'a trouvée très changée mais, surtout, Céline l'a émerveillé en chan-tant, *a capella*, presque toutes les chansons de *Starmania*.

Il n'y a cependant jamais rien de facile. Eddy Marnay, qui était du tout premier album, doit faire de la place pour Luc Plamondon. La perspective de l'annoncer à son vieux complice ne réjouit pas tellement René Angélil. Mais encore une fois, l'habile imprésario réussit à le faire accepter par Eddy Marnay. Donc, pour *Incognito*, qui doit sortir en 1987, Eddy Marnay signe quelques chansons, et Luc Plamondon, aidé de Daniel Lavoie, en signe deux, *Incognito* et *Lolita*. En plus de faire un album où Eddy Marnay n'était plus le seul auteur, on a misé sur des moyens importants pour toutes les facettes de la pro-duction. Il ne faut pas que le virage envisagé par René Angélil soit raté. Parce que, si les textes sont différents, si la production, beaucoup plus riche, est différente aussi, celle qui doit faire fonctionner tout ça, c'est Céline Dion.

On est toujours porté à faire la comparaison entre Céline Dion et René Simard. La carrière de chanteur de René Simard a connu un ralentissement incroyable quand, à l'adolescence, sa voix a mué. Il a su se recycler rapide-ment, tout en continuant à chanter, mais on ne pouvait plus parler d'un talent exceptionnel comme à ses débuts. Céline Dion, elle, est arrivée avec cet album, plus en forme que jamais. Il est vrai que la voix d'une femme change moins que celle d'un homme. Les gens ont embarqué, tellement que *Incognito* a vendu plus de cent cinquante mille exemplaires en peu de temps. CBS est contente.

Quand le rusé Angélil a signé avec CBS pour un album en français, il a profité de l'occasion pour ouvrir un peu son jeu. Il en a profité pour signer une entente pour faire un album en anglais. Dans le milieu du disque, une entente ne veut pas toujours dire grand-chose; un contrat se brise rapidement, ou encore on prend tellement son temps, on lésine à tel point que si une des deux parties se met à hésiter, on laissera tomber le projet. Mais, dans ce cas ci, comme CBS fait de l'argent avec sa nouvelle artiste, il n'est pas question pour elle de laisser tomber cette entente. Mais il faut trouver du matériel pour Céline et la faire connaître dans le milieu anglophone, ce qui n'est pas évident.

Pour *Incognito*, Céline doit être très visible. Une grande tournée est organisée au Québec, avec un nouveau chef d'orchestre, un musicien qui, encore aujourd'hui, travaille avec cette équipe, Claude Lemay, mieux connu sous le nom de Mégo. (Cette association démontre encore la loyauté de René Angélil: si vous faites bien votre travail, jamais il ne vous laissera tomber.) Et, pour mousser la vente des billets, pour faire connaître le spectacle, comme Mia Dumont est retournée vivre à Paris avec Eddy Marnay, il engage Francine Chaloult, la «mère supérieure» des attachés de presse au Québec, une femme qui ressemble quelque peu à René Angélil, sachant souvent tourner toutes les situations à son avantage. À part le fait de devoir montrer un grand sens de l'organisation, il n'a jamais été bien difficile de faire vendre des billets pour les spectacles de Céline, et encore moins d'attirer des journalistes pour ses conférences de presse. Les seuls noms de Céline Dion et René Angélil sur un carton d'invitation faisaient courir tous les journalistes de la province.

La vie personnelle de René Angélil, à cette époque,

semble bien banale. Travail, travail et travail, avec quelques petites virées avec des amis dans les casinos et quelques parties de golf. On peut dire qu'entre 1986 et 1988, sa vie personnelle et amoureuse semble inexistante. Redevenu célibataire, on ne lui prête aucune liaison amoureuse, aucune maîtresse à l'horizon, lui qui a pourtant toujours eu une réputation d'aimer les belles femmes.

Un froid avec Luc Plamondon

En France, *Incognito* a été bien accepté. Il faut dire que sur la production française de ce disque, on a apporté quelques petits changements: les chansons de Luc Plamondon et de Daniel Lavoie, *Incognito* et *Lolita*, ont été remplacées par deux autres chansons écrites par Eddy Marnay. René Angélil s'était plié à la demande de Marnay et de son équipe française qui pensaient que les deux chansons de Luc Plamondon (surtout *Lolita*) seraient mal acceptées par la population. Curieux tout de même de penser que les Français puissent mal accepter une chanson comme *Lolita*, eux qui ont accepté des films beaucoup plus scandaleux et qui vouent une vénération à la jeunesse. On pense que Angélil a décidé de suivre les conseils d'Eddy Marnay, un peu pour se faire pardonner de l'avoir quelque peu tassé pour cet album au Québec. N'oublions pas que sans Eddy Marnay, Céline Dion n'aurait peut-être jamais connu la gloire en France.

Mais en faisant une faveur à Eddy Marnay, René Angélil venait de se mettre à dos Luc Plamondon. L'auteur, sans faire d'esclandre, n'a pas du tout prisé la façon d'agir d'Angélil. On savait que Plamondon était en froid avec l'imprésario et la vedette. Ce froid ne durera cependant pas trop longtemps. La réconciliation se concrétisera surtout quand Céline enregistrera, en 1991, *Dion chante Plamondon*.

Avec le succès d'*Incognito*, René Angélil se frotte les mains. Il sait que le changement a été accepté par le public. Si Céline a changé physiquement, sa voix est encore plus puissante. Les gens aiment cette jeune fille devenue femme parce qu'elle chante bien et pas seulement pour sa gentillesse.

Angélil est heureux de voir *Incognito* connaître un gros succès, mais il est aussi heureux de voir que CBS fait de l'argent avec l'album. Cela veut dire qu'on peut commencer à préparer l'album anglais.

Unison

Tous les chanteurs et toutes les chanteuses vous le diront, sortir un album est aussi long qu'un véritable accouchement. René Angélil doit se mettre résolument à la tâche pour sortir cet album. Tout est à faire, entre autres, convaincre les hauts gradés de CBS qui ne sont pas encore vendus à la cause de Céline Dion. Pour dire la vérité, ils ne la connaissent pas et ce n'est pas ses performances en français qui peuvent les impressionner. Et, qu'on le veuille ou non, Céline Dion représentait, à cette époque, les deux solitudes au Canada. Comment est-ce possible que le Canada anglais ne connaisse rien de cette chanteuse qui, depuis maintenant plus de six ans, fait un malheur au Québec? On ne peut pas reprocher aux Canadiens anglais de ne pas connaître les artistes du Québec, puisque les Québécois ne connaissent presque rien des artistes canadiens-anglais, à moins qu'ils ne fassent carrière aux États-Unis.

Deux événements viendront changer les perceptions et, surtout, convaincre les décideurs anglophones d'investir dans le talent de Céline Dion. Un premier a lieu à l'Estérel quand Céline chante lors d'un *showcase* (il est quand même étonnant de voir que Céline Dion, même encore à cette époque, soit obligée de se produire devant des producteurs pour «montrer» son talent). Elle impressionne alors les bonzes du disque anglophone. Mais le grand coup a été donné lors des Junos, en 1987, quand on lui a demandé d'interpréter une chanson. Au début, il était convenu qu'elle chante une chanson de son album *Incognito*, mais Angélil, bien conseillé par Vito Luprano, choisit une chanson en anglais, *Have a Heart*. À la fin de sa prestation, tout le monde était debout pour applaudir. On vient de faire un grand pas vers le succès mondial, puisque CBS décide d'investir beaucoup d'argent pour l'album anglais.

La vie continue. Céline poursuit sa tournée du Québec avec son spectacle *Incognito*, accompagnée par Mégo et un bassiste, Breen Lebœuf, un gars qui faisait du rock dur avec le groupe Offenbach, dirigé par le regretté Gerry Boulet. Lebœuf est un excellent guitariste, mais on ne peut pas dire que cette décision ait été la meilleure de René Angélil. L'imprésario a voulu montrer que Céline peut s'illustrer dans tous les styles, mais, en toute honnêteté, le gros rock n'était pas et n'est toujours pas sa force. Elle a la voix pour le faire, mais pas le *look* et, surtout, pas l'âme d'une rockeuse!

En plus des spectacles, des apparitions à la télévision, d'un petit voyage en France où *Incognito*, sans être aussi populaire qu'au Québec, ne va pas si mal, Céline Dion et René Angélil travaillent fort pour produire l'album anglais. René Angélil a l'idée de faire appel aux services d'un des auteurs les plus prolifiques aux États-Unis, David Foster. Mais ce n'est pas aussi simple. David Foster, très occupé, ne connaît pas Céline Dion et a bien d'autres chats à fouetter. Cependant, quand il entendra la voix de la chanteuse sur *Incognito* et qu'il verra le clip vidéo tourné lors de la soirée des Junos, il intercédera lui-même auprès du grand patron de CBS, Bernie diMatteo, pour faire augmenter la mise de fonds consentie à la préparation d'un album pour cette artiste. David Foster, né en Colombie-Britannique, qui a écrit entre autres pour Barbra Streisand (une des idoles de René Angélil) et qui a une réputation d'auteur et de compositeur aussi flamboyante que celle d'Eddy Marnay en France, parviendra à faire bouger les choses. CBS acceptera finalement de verser une très grosse somme d'argent; on parle de plus d'un demi-million de dollars, pour réaliser et pour produire le premier album en anglais de Céline Dion: *Unison*.

Eurovision

Un des échecs de René Angélil, un échec sans trop d'importance parce qu'il s'est produit à un moment dans la vie de la chanteuse et de l'imprésario où tout était à faire, a eu lieu en Allemagne en 1984. Fort de son succès en France, René Angélil, bien avant d'attaquer le marché anglais, a visé le marché germanique, avec l'Allemagne, bien sûr, mais aussi l'Autriche et la Suisse allemande. Céline a donc enregistré des «45 tours», dont *Was bedeute ich dir* (*Mon ami m'a quittée*), et a suivi des cours d'allemand chez Berlitz. La gloire, du moins à cette époque, n'attendait pas Céline et son imprésario en dehors de la francophonie. Ce n'est que quelques années plus tard que Céline a remporté un certain succès qui allait lui faciliter l'entrée dans le monde anglophone, en gagnant le concours Eurovision pour la Suisse (parce que l'auteur de la chanson *Ne partez pas sans moi*, Nella Martinetti, est Suisse). Cette performance et ce premier prix ont permis à la chanteuse de se faire voir à la télévision européenne et, particulièrement irlandaise (l'Eurovision ayant lieu à Dublin) par des millions de téléspectateurs et par des producteurs anglophones qui suivent ce concours avec beaucoup d'intérêt.

Dublin représentera aussi une nouvelle étape dans la vie de René Angélil, du moins selon sa version et celle de Céline: la découverte de l'amour qu'il éprouve pour Céline. Depuis longtemps, en effet, René Angélil voue une admiration sans borne pour la chanteuse, mais, comme il le raconte, c'est à Dublin qu'il a découvert qu'il avait beaucoup plus que de l'admiration pour cette jeune femme.

La sortie de l'album Unison, le premier album anglais, et un spectacle au Forum, ne laissent plus de doute, René Angélil approche du but.

*J'ai rencontré René
Angélil à quelques
occasions lors de
conférences de presse.*

En 1997, René Angélil peut affirmer que Céline Dion a conquis une partie du monde et le couple lance une tournée mondiale.

*Rarement présents au
Québec, Céline et René
s'apprêtent à assister
au mariage de Claudette
Dion, la sœur de Céline.*

Chapitre 8
La naissance de l'amour

La presse en général, au Québec et ailleurs, a longue-
ment parlé de la relation que vivaient Céline Dion et
René Angélil depuis 1993, année de l'annonce publique
de leur amour. Il a fallu attendre la sortie d'une des
biographies de Céline Dion, celle de Georges-Hébert
Germain, *Céline*, pour avoir la version officielle de la naissance de l'amour entre la chanteuse et son gérant.

La version officielle
Céline Dion, et elle le répétera souvent, était amoureuse
depuis longtemps de René Angélil. Lors de son passage à
une émission que Lise Payette animait en 1992, *Tête à
Tête*, elle avait avoué être amoureuse: «J'aimerais le crier
sur les toits, le dire bien fort, mais je ne peux. Un jour,
j'afficherai cet amour.» Elle avait quand même vingt-
quatre ans, tout le monde savait ou se doutait bien qu'il
s'agissait de René Angélil et, avouons-le, tout le monde
se demandait bien pourquoi elle se taisait ainsi.

René est de vingt-six ans son aîné et l'amour semblait impossible, du moins pour lui. Il n'en parlera presque

jamais, sauf pour dire, qu'à un certain moment, il la trouvait de plus en plus *sexy*.

En fait, Céline Dion était amoureuse de René Angélil depuis son changement physique en 1986, alors qu'elle n'avait que dix-sept ou dix-huit ans. Elle le déclarait dans une entrevue que le couple accordait à l'animateur Stéphan Bureau de Radio-Canada en 1999. Céline y raconte aussi que sa mère, Thérèse Dion, ne voyait pas d'un très bon œil cette relation et qu'elle l'avait mise en garde contre cet amour.

Dublin

Dublin, le 30 avril 1988. Céline a vingt ans depuis un mois seulement. Elle gagne l'Eurovision et, après la soirée, comme toujours quand ils voyagent ensemble, René accompagne Céline à sa chambre avant de retourner dans la sienne. Voici, en résumé, ce que Céline et René, à des moments différents, auraient raconté à Georges-Hébert Germain, alors que ce dernier préparait la biographie de la chanteuse. Extrait de son livre:

«Depuis qu'ils voyagent ensemble, René Angélil, avant de regagner sa chambre, va toujours faire un tour dans la chambre de Céline pour lui parler de la soirée, de ce qu'il a vu, ce qu'il a aimé, moins aimé. Par contre, ce soir-là, Céline est différente. Elle a vingt ans, elle est amoureuse de lui, mais René ne semble pas voir cet amour ou tout simplement l'ignorer.

Comme d'habitude, après avoir parlé pendant un bon bout de temps, il s'est levé pour retourner dans sa chambre. Habituellement, il embrassait Céline sur chaque joue et quittait les lieux, mais ce soir-là à Dublin, il ne l'embrassa pas. Céline s'approcha de lui, lui en fit le reproche et, plutôt que de l'embrasser sur chaque joue, il la prit dans ses bras, l'embrassa sur la bouche, la repoussa légèrement et quitta la chambre.

Céline aurait, à ce moment, pris le téléphone pour parler à René et lui aurait dit de venir la rejoindre, sinon elle se rendait elle-même dans sa chambre. Ce fut leur première nuit d'amour.»

Il faudra attendre tout près de cinq ans avant que le couple avoue publiquement leur amour, soit en 1993. Pendant ces cinq années, le couple vivra un amour caché. René Angélil expliquait au journaliste Stéphan Bureau le long cheminement qui devait le conduire à l'amour et, plus tard, en 1994, au mariage: «J'avais peur que l'image de Céline en souffre, que ses fans soient révoltés, qu'ils disent que je suis trop vieux pour elle, qu'ils soient déçus. Céline, elle, voulait le dire, le crier, moi je voulais garder ça secret.»

Voilà la version officielle du début des amours entre une star mondiale et son gérant.

Chapitre 9
Le monde à ses pieds

En parlant avec des gens proches de Céline Dion et de René Angélil, en lisant tout ce qui a été écrit un peu partout dans les journaux, j'ai compris que le rêve que caresse le couple est surtout celui de la chanteuse. Bien sûr, René Angélil veut être «big», mais sa motivation principale, son moteur, sa source d'inspiration est l'artiste dont il s'occupe. Même s'il a toujours montré beaucoup d'ambition, il n'est pas exagéré de dire que Céline manifeste autant, sinon plus d'ambition que lui. Elle met tellement d'effort à faire ce qu'elle fait que René Angélil n'a pas d'autre choix que de pousser, lui aussi, au maximum, surtout depuis que le couple s'est finalement avoué son amour.

L'album anglais *Unison* a été long à mettre en marche. Le fait d'avoir gagné l'Eurovision a quand même fait accélérer les choses. Les patrons de CBS des différentes villes européennes ont bien hâte que Céline Dion présente son premier album anglais. Il faut dire que le dernier album de Céline, *Incognito*, était sorti en 1986. Les compagnies de disques sont toujours impatientes de mettre sur le marché un produit qui se vend bien. Et Céline se vend extrêmement bien: on a lancé *Ne partez pas sans moi* sur «45 tours» et les Européens l'ont acheté. Malheureusement, les États-Unis n'ont pas suivi immédiatement, et le processus traîne.

Quant à Céline, elle poursuit sa tournée au Québec avec son spectacle *Incognito*. En 1988, elle a donné plus de cent cinquante représentations. L'argent ne manque pas, mais le marché se rétrécit pour celle qui veut devenir une star internationale.

C'est à la fin de cette année que René Angélil a signé pour sa vedette un contrat de publicité avec Chrysler Canada. On a parlé d'un contrat lui rapportant environ 300 000 $, ce qui n'est sans doute pas très loin de la vérité. Céline Dion et René Angélil viennent, sans jamais avoir vendu un seul album aux États-Unis encore, de rentrer dans le groupe des riches Québécois. Céline possède déjà deux maisons; René Angélil, quant à lui, a encore plus la possibilité de faire sauter la banque du Caesar's Palace. Mais il ne peut pas s'arrêter là; il doit sauter sur la chance quand elle passe, et René Angélil est dans une bonne veine depuis quelques mois déjà.

Pendant presque toute l'année 1989, René Angélil et Céline Dion se sont promenés dans les studios d'enregistrement, de Los Angeles à New York, en passant par Londres pour sortir *Unison*. René s'est montré impatient, quelquefois colérique, devant la lenteur que prenait l'enregistrement de l'album. On tient un *hit* avec *Where Does my Heart Beat Now*, mais les autres chansons ne sont pas accrocheuses. De plus, on vient, à CBS Canada, de changer de président. Paul Burger, issu du milieu du rock, remplace Bernie diMatteo, qui était vendu à la cause de Céline. Et CBS USA ne se montre toujours pas emballée par le produit.

Dans ce genre de situation, René Angélil sort ses griffes; Il a menacé, bien timidement, de changer de compagnie de disques, sans en avoir vraiment l'intention. Il faut trouver d'autres chansons, deux, peut-être trois, pour obtenir un album plus fort.

Un grand lancement

En 1990, le Québec ne se trouve pas dans sa meilleure période sur le plan musical. Et la marche est encore plus haute entre un succès dans la francophonie et le succès américain. Depuis *Incognito* en 1986, Céline Dion n'a rien fait de nouveau. Le couple gagne énormément d'argent, surtout avec les tournées, mais le rêve consiste davantage à se faire connaître aux États-Unis. Et ça ne va pas assez vite au goût de René Angélil. Cette période de vie nous fait découvrir un autre trait de caractère de cet homme qui n'a toujours qu'un seul et même but dans la vie: faire sauter la banque. Il ne fait aucun doute que, dans l'esprit de René Angélil, la vie est un grand jeu (il ne changera d'idée que tout dernièrement) et avec *Unison*, il craint que les difficultés soient plus nombreuses que prévues. Mais, en bon joueur, il sait très bien qu'il a une main gagnante. Rien ne peut battre quatre as et, avec Céline Dion, il n'aura même pas à bluffer, il aura toujours une confiance inébranlable en elle.

Le fameux premier album anglais *Unison* voit enfin le jour le 2 avril 1990. Le lancement a lieu au Métropolis de Montréal. Il y a une foule considérable et l'album est bien accueilli. Il faut cependant mentionner que, lors d'un lancement — pour Céline Dion ou pour qui que ce soit d'autre — les gens qui y assistent sont souvent déjà vendus à l'artiste. On sait déjà que *Where Does my Heart Beat Now* sera un gros succès et on découvre une autre chanson, *Any Other Way*, qui sera elle aussi très populaire. Mais l'album n'a pas vraiment un son, une unité. Après tout, Céline n'a que vingt-deux ans, mais elle chante des chansons qu'une femme de cinquante ans ferait; des chansons d'amour qui mettent en valeur sa voix, mais peu de son âme. On sent que le choix des chansons est la responsabilité de René Angélil, un homme qui approche la cinquantaine. D'ailleurs, le succès de *Unison* se fera attendre et n'atteindra jamais les résultats escomptés ni en France ni aux États-Unis. Par contre, il permettra au Canada anglais de découvrir Céline Dion et l'album *Unison* constituera quand même une porte d'entrée, une carte de visite pour la conquête des États-Unis.

Des fleurs sur la neige

1990 sera aussi une année de diversion pour Céline. Celle-ci, qui rêve de faire du cinéma depuis qu'elle est toute petite (un peu comme l'idole de René Angélil, Barbra Streisand), aura la chance de se voir offrir un premier rôle dans une minisérie qui ne passera sûrement pas à l'histoire: *Des fleurs sur la neige*. Le succès sera tellement mitigé qu'on ne la verra même pas en reprise, chose rare à la télévision. Cette période dans la vie de René Angélil nous donne d'autres indices sur son caractère et sur la façon qu'il a de diriger la carrière de sa protégée.

La meilleure façon de savoir si René Angélil est heureux ou malheureux d'une situation consiste à le laisser parler ou à le laisser «ne pas parler». Depuis toujours, quand il est préoccupé par quelque chose, il se ferme comme une huître plutôt que d'en parler. C'est exactement ce qui s'est passé dans le cas de ce projet de minisérie. Quand Céline a lu le scénario, elle en a été très impressionnée. On sait que René Angélil n'a pas été très emballé par cette histoire d'Élisa T., une jeune fille maltraitée par ses parents qui parviennent, à force de courage, à s'en sortir. René Angélil a toujours su que l'image, dans le *showbiz*, est importante, peut-être pas autant que le talent, mais qu'il ne faut jamais négliger cet aspect de la carrière. Puisqu'il n'était pas d'accord avec cette idée, il a catégoriquement refusé le droit à Céline d'enregistrer la chanson-titre de la série, croyant, probablement avec raison, que cette chanson ne correspondait plus du tout à l'image de la jeune chanteuse. Mais Céline veut réaliser ce rêve. Qu'a fait René Angélil? Plutôt que d'en parler, plutôt que de vanter les mérites de Céline, il s'est tu. De toute évidence, il ne veut pas créer de conflit entre lui et celle qu'il aime (le public ignore encore, à ce moment, qu'ils forment un couple dans la vie). Si *Des fleurs sur la neige* est un échec, il aura au moins eu le mérite de ne pas en parler publiquement (et probablement de dire à Céline qu'il le savait). Si ça fonctionne, comme d'habitude, c'est sa protégée qui en récoltera les louanges.

Des fleurs sur la neige n'a pas reçu beaucoup de louanges. Céline Dion, sans se faire «descendre» par la critique, n'a pas recueilli les éloges qu'elle est habituée de recevoir quand elle chante. Toutefois, cette aventure n'a pas eu de conséquence sur sa carrière et elle a probablement donné la chance à René Angélil de bien lui expliquer que le métier de comédienne n'est pas aussi facile qu'on le pense.

Nickels

Dans la même année, toujours en faisant la promotion de *Unison*, René Angélil se lance dans une drôle d'aventure: la restauration. Au Québec, les artistes qui veulent diversifier leur portefeuille, aiment bien se lancer dans ce domaine. Curieusement, peu parviennent à mener à bien leur projet. On n'a qu'à penser à Marcel Béliveau avec un projet de *fast food* et de restaurant italien, Marcello

Béliveau, à Mitsou qui a vendu ses parts dans une pizzeria de la Rive-Sud quelques semaines avant que ce restaurant déclare faillite, à Yvon Deschamps, qui a englouti beaucoup d'argent dans un bar restaurant, Le National, à Saint-Jean-sur-Richelieu, avant de réussir avec une auberge, le Manoir Rouville-Campbell, en Montérégie. Heureusement, quelques artistes comme Pierre Marcotte et Shirley Théroux peuvent se vanter d'avoir réussi leur entreprise.

René Angélil et Céline Dion se joignent à ceux qui ont réussi. En 1990, Paul Sara, qui avait fait carrière dans les banques mais qui avait tout abandonné pour tenter sa chance dans la restauration, a convaincu son cousin et ami René Angélil de se lancer dans cette folle aventure. Ici, les versions divergent. On dit, selon la version de Georges-Hébert Germain, que Paul Sara, qui avait des parts dans la chaîne de restaurants Harvey's, les aurait vendues pour se lancer en affaires avec René, Céline et les Productions Feeling Inc., en ouvrant un premier restaurant Nickels. Une autre version, celle de Jean Beaunoyer, raconte qu'endetté, Paul Sara a remis ses parts du restaurant d'une autre chaîne, Le Chalet Suisse, pour rembourser les Productions Feeling Inc. à qui il devait de l'argent.

Mais l'idée d'un restaurant *fast food* comme les Nickels est celle de Paul Sara et, lentement, il parvient à convaincre René d'y tenter sa chance. On dit aussi que Céline s'est beaucoup engagée dans ce projet, en dessinant elle-même l'uniforme des serveuses, en proposant certains mets et, surtout, en trouvant le nom Nickels, signifiant une pièce de cinq cents en anglais — son porte-bonheur.

Tout laisse croire cependant que l'ouverture d'un premier Nickels, le 5 décembre 1990, à Saint-Laurent, a été une façon de diversifier leurs investissements. Quand on commence à avoir beaucoup d'argent, il faut faire des placements. La restauration semblait être une très bonne idée. En plus, les membres de la famille de Céline et quelques autres de la famille de René commencent à grincer des dents. En ouvrant un premier Nickels, René Angélil a fait plaisir à son grand ami Paul Sara. On sait que, par la suite, devant le succès du premier Nickels, René Angélil en a ouvert d'autres et que la famille Dion, dont Claudette et, surtout, papa et maman Dion, en ont largement profité.

Aujourd'hui, avec plus d'une trentaine de Nickels au Québec, René Angélil et Céline Dion, qui détenaient des parts, peuvent se vanter d'avoir réussi leur coup. Si, en 1990, René Angélil n'a pas réussi un coup parfait en acceptant que Céline joue dans *Des fleurs sur la neige*, il a parfaitement réussi celui des Nickels. Il faut dire qu'au tout début, Céline Dion est un porte-parole parfait pour les restaurants. Dès qu'on annonce l'ouverture d'un nouveau Nickels, les journalistes, les photographes et le grand public s'y précipitent pour rencontrer la chanteuse qui s'occupe de divertir la foule.

Par contre, en 1999, les restaurants Nickels étaient sous enquête. En effet, au début du mois de décembre, dix-sept restaurants de la chaîne Nickels de la grande région métropolitaine ont été visités par des agents du ministère du revenu québécois. Le fisc soupçonnait certains restaurants de la célèbre chaîne d'utiliser des «zappers», un logiciel qui permettrait de cacher certains revenus (on parle d'une somme de 134 millions de dollars plus les taxes non perçues sur ce montant, s'élevant à environ 2 millions).

C'est à ce moment que, par communiqué de presse, on apprenait que René Angélil et Céline Dion n'étaient plus actionnaires des Nickels depuis 1997.

Pourtant, au mois de décembre 1999, dans un magazine américain, on pouvait voir une photo de Céline Dion à l'ouverture d'un Nickels en Floride. Jusqu'à l'éclatement de ce scandale, tout le monde croyait encore que René Angélil et Céline Dion étaient propriétaires de la chaîne de restaurant.

La chanteuse anglophone

De toute façon, le rôle que Céline a joué à la télévision et son implication dans les restaurants n'ont eu aucun impact significatif sur son premier album anglais, *Unison*. CBS est relativement satisfaite des ventes, mais les États-Unis n'achètent pas. Mais comment faire connaître Céline aux Américains? Le tempérament de René Angélil, son acharnement et, surtout, sa conviction que Céline est la meilleure, lui permettront de monter, lentement mais sûrement, vers les plus hauts sommets.

Même si *Unison* ne décolle pas aussi vite que prévu, on prépare une grosse tournée. La mise en scène est assurée par un comédien et metteur en scène québécois, René Richard Cyr, et la direction musicale par Mégo. Ce spectacle conduira Céline Dion au Canada anglais et, finalement, aux Junos (le gala de l'ADISQ anglophone), présenté à Vancouver où se trouvent des décideurs de l'industrie de la chanson américaine. Céline y chante et elle fait encore un malheur.

En 1990, lors du 12e gala de l'ADISQ, on remet à Céline le Félix (trophée) de la meilleure chanteuse anglophone de l'année (cette catégorie sera par la suite remplacée par celle du chanteur ou chanteuse s'étant le plus illustré dans une autre langue que le français). Céline se présente au micro et refuse le prix. Scandale! Le gala de l'ADISQ est considéré comme le plus gros de l'année au Québec parce que les vedettes y sont nombreuses, mais aussi parce qu'il y a souvent un petit scandale. On se souvient que Luc Plamondon avait fait une véritable colère, devant plus de deux millions de téléspectateurs, pour dénoncer le manque de respect que les producteurs, les politiciens et tous ceux, mêlés de près ou de loin à l'industrie du disque, manifestaient envers les auteurs, envers ceux qui font les chansons.

Céline Dion aurait été offusquée de se faire traiter de chanteuse «anglophone». Après le gala, René Angélil a déclaré que les racines de Céline sont au Québec, qu'elle est une chanteuse francophone qui peut faire des chansons en anglais. Et il ajoute qu'il l'a laissée dire ce qu'elle voulait en refusant le Félix.

Céline Dion pensait vraiment ce qu'elle disait ce soir-là, mais nous serions bien naïfs de croire que le petit discours de Céline n'a pas été précédé d'un remue-méninges. L'idée de refuser le trophée ne vient sûrement pas uniquement de Céline Dion. Elle a dû être très fortement conseillée par René Angélil, et le couple en a certainement parlé avant que Céline monte sur scène. Comme les nominations et les catégories étaient connues depuis longtemps, il serait bien étonnant que le coup n'ait pas été planifié un peu.

Dans les journaux de l'époque, on a largement pris la part de Céline Dion. Une autre partie de *black-jack* gagnée par René Angélil! Céline aurait pu accepter le trophée tout en se disant déçue d'être considérée comme une chanteuse anglophone, mais on a voulu faire parler.

René Angélil a joué la carte, sans doute avec quelques bonnes raisons, de l'artiste offusquée, en laissant le mérite à Céline, et il a gagné. Mais il s'est rendu compte en même temps qu'il n'est jamais facile, au Québec, de parler de la langue. Si les Québécois, en général, sont d'accord avec le geste de Céline Dion et de René Angélil, les anglophones — le marché qu'Angélil vise — se sont montrés choqués parce que Céline, en disant qu'elle est Québécoise, renie le fait que les anglophones sont aussi des Québécois. Mais le gala de l'ADISQ, qu'on le veuille ou non, demeure un spectacle de francophones qui n'intéresse à peu près pas le milieu anglophone. Dans la salle de presse d'un gala de l'ADISQ, on ne rencontre généralement qu'un journaliste anglophone, celui de *The Gazette*. Ce qui fait que les dégâts du côté anglophone ont été, somme toute, assez limités.

Mais la vie est bien faite pour René Angélil. Quelques années plus tard, huit ans, pour être plus précis, il siégera sur le comité organisateur du 20e gala de l'ADISQ, avec son bon ami Pierre Rodrigue, directeur de l'ADISQ depuis quelques années, et il acceptera, au nom de Céline, qu'elle anime ce gala anniversaire. Quand on lui a fait cette demande, il a dû rire un peu dans sa barbe. Et comme à son habitude, il a promis un gala «big» qui débordera les frontières du Québec grâce à la présence de Céline, une vedette internationale. On a bien reconnu le René Angélil en pleine forme ce jour-là. Le gala a été bon, sans plus, et n'a pas fait parler le reste du monde.

À la fin de 1991, *Unison* en était rendu à plus de 700 000 exemplaires vendus. Les demandes d'entrevues à la télévision américaine, gage de visibilité, se font de plus en plus fréquentes. La tournée *Unison* va en Europe et même au Japon. Si la gloire n'est pas encore arrivée, le monde sera bientôt aux pieds de Céline et de René.

Mais, comme tout au long de sa vie, après un grand bonheur, un malheur attend l'imprésario.

Chapitre 10
Le tourbillon de la vie

Après *Unison*, la vie deviendra un tourbillon incessant pour René Angélil. Les États-Unis, le rêve que le couple caresse depuis maintenant plus de dix ans, se rapproche. Céline a vingt-deux ans, René Angélil approche la cinquantaine. *Unison* fait son petit bonhomme de chemin. En 1991, cet album en est rendu à près d'un million d'exemplaires vendus. Mais le plan de René Angélil était bien établi. Contrairement aux artistes américains qui n'ont pas à se faire un nom en France ou en Europe, leur musique étant largement diffusée sans promotion, Céline ne doit pas abandonner la carrière francophone et les lucratifs marchés français, belge et suisse.

En 1991, René Angélil et Vito Luprano, toujours directeur artistique de CBS Québec, décident de produire un album en français. Ils avaient constaté que, dans ses spectacles, dès que Céline interprétait une chanson de Luc Plamondon, les gens se levaient. On a donc décidé de faire un album de Luc Plamondon, *Dion chante Plamondon*. Cette initiative nous montre bien que René Angélil n'est pas rancunier et n'a pas d'ennemi en affaires s'il flaire un bon coup. L'animosité qui existait entre Plamondon et Angélil depuis que deux chansons, *Incognito* et *Lolita* sur l'album *Incognito*, avaient été préférées, pour la version dédiée à la France, à deux chansons d'Eddy Marnay, avait fait place à la réconciliation. Plamondon était flatté de voir ainsi son nom associé à l'aventure de ce nouveau projet.

On commence à remarquer, à ce moment, que René Angélil laisse de plus en plus de place à Céline Dion dans les décisions artistiques. C'est d'ailleurs un tournant dans leur carrière. Elle fait un choix de huit chansons parmi la cinquantaine que Plamondon lui a proposées (en plus de quatre nouvelles) et lui s'occupe, avec Mario Lefebvre de CBS, de la promotion. On sait que tant les Québécois que les Français embarqueront dans cette nouvelle aventure. On fait un gros lancement au Métropolis et, le jour même du lancement, on annonce que l'album a déjà trouvé cinquante mille acheteurs.

Lorsque la machine est bien huilée, les relations publiques, le travail de promotion, les arguments pour faire connaître une artiste, les appels téléphoniques deviennent moins importants pour attirer des contrats. C'est exactement ce qui commence à se passer pour Céline et René. Par exemple, à cette époque, René Angélil se voit offrir, pour son artiste, la possibilité d'enregistrer la chanson-titre d'un dessin animé de Walt Disney, *The Beauty and the Beast*, avec Peabo Bryson. Petite revanche et grand plaisir pour Angélil qui, quelques mois plus tôt, avait passé à deux doigts de voir Céline enregistrer la chanson-titre d'un film produit par Steven Spielberg, *Fievel Goes West*. La chanson *Dreams To Dream*, que la chanteuse Linda Ronstadt avait refusé une première fois, fut offerte, par l'entremise de René Angélil et de Paul Burger, de CBS Canada, à Céline Dion. Mais un conflit entre les maisons de disques CBS et MCA devait mettre un terme à ce projet. De plus, Linda Ronstadt était revenue sur sa décision a avait finalement accepté d'interpréter la chanson.

Encore une fois, mais sans le vouloir, René Angélil a gagné la partie, puisque *Dreams To Dream* n'a jamais connu un gros succès, tandis que *The Beauty and the Beast* a fait un malheur et lancé définitivement la carrière de Céline aux États-Unis. En effet, elle a pu, grâce à cette chanson, se rendre aux Grammy's et aux Oscars (meilleure chanson de film) et y chanter pour la première fois, en duo avec Peabo Bryson (elle y retournera plusieurs fois par la suite).

Avec ce succès, les demandes d'émissions de télévision affluent. On sentait, à cette époque, que René Angélil était complètement euphorique. On le voyait dans les conférences de presse, fier comme un coq, prédisant des succès encore plus foudroyants pour son artiste. Il a eu bien raison. En moins de deux ans (de 1990 à 1992), Céline Dion est devenue une vedette aux États-Unis. Elle peut encore, à cette époque, se promener à visage découvert dans les rues de New York et de Los Angeles, mais en étant invitée à des émissions comme *The Late Show* de David Letterman, *The Tonight Show* de Jay Leno, *Good Morning America*, cette liberté ne durera pas longtemps. Un peu plus tard, il acceptera avec grande joie les invitations que lui feront des stars de la télévision comme Rosie O'Donnell et, surtout, Oprah Winfrey qui recevra Céline avec toute sa famille.

Pendant ce temps, le couple, parce que René Angélil et Céline Dion vivent comme un véritable couple, n'a pas encore affiché publiquement son amour. On en parlait quand même beaucoup, non seulement dans les salles de journaux, mais aussi dans les salons québécois. Tous deux se cachent encore. Angélil a encore peur de la réaction des gens. Il s'agit d'une drôle de réaction de sa part, puisque le jour où ils afficheront leur amour, personne ne s'en offusquera. Comment les fans et le grand public auraient-ils réagi si René et Céline avaient parlé alors plus ouvertement de leur amour? Sans doute bien. Le public en général a une ouverture d'esprit qu'on sous-estime trop souvent. René Angélil ne s'est jamais montré craintif dans toute sa vie, sauf en ce qui concerne ses amours. En 1992, Céline a vingt-quatre ans et ne doit pas son succès à son image de *vamp* et de femme *sexy*, mais à sa voix.

Quand Céline Dion parle de sa vie privée, elle ne va jamais très loin. Elle est amoureuse, mais elle ne peut pas dire avec qui. Cela est pathétique, presque risible. On sent, dans cette histoire, soit un profond secret, soit une domination complète de René Angélil. Autant cet homme est sûr de lui, autant, à cinquante ans, il est malhabile et inquiet des conséquences de cet amour. Mais un autre élément viendra renforcer l'idée, dans le public, que le couple est en amour.

Un deuxième malaise cardiaque

On ne peut pas mener la vie que mène René Angélil sans que le corps en subisse les contrecoups. Avec la vie trépidante, les voyages à Los Angeles, à New York, à Paris, à Montréal, les décalages horaires, une alimentation déséquilibrée, quelquefois dans les grands restaurants où il mange bien, d'autres fois sur le pouce (hamburgers, qu'il a toujours aimés, frites et boissons gazeuses), sans compter quelques nuits blanches dans les casinos (plus rares depuis un certain temps, mais encore bien agréables), le cœur ne peut manquer de se fatiguer.

Au mois d'avril 1992, René Angélil se trouve à Los Angeles, avec Céline Dion. Tout va bien dans sa carrière, surtout que la popularité de Céline monte comme une flèche chez les Américains. Angélil a toujours été un gérant flamboyant, très visible. Il est très rare de voir Céline Dion seule; elle est toujours accompagnée de son gérant.

Ce jour du 29 avril, à Los Angeles donc, René Angélil prend du soleil avec Céline. Il lui dit qu'il doit aller s'étendre quelques minutes dans sa chambre. Il ne se sent pas bien. Céline s'inquiète et va le rejoindre dans la chambre, peu de temps après, pour le trouver dans un très mauvais état. Il est pâle, il a de la difficulté à respirer. Avec l'aide des employés de l'hôtel, Céline l'amène immédiatement à l'hôpital Cedars Sinaï où on diagnostique très rapidement un malaise cardiaque sérieux. Il demeure trois semaines à l'hôpital. Tous ses proches, dont sa mère, viennent le visiter. Il fait même venir ses enfants, dont Patrick, alors étudiant au Collège Français à Montréal.

La crise cardiaque est demeurée assez secrète à Montréal, probablement parce que René Angélil ne voulait pas, encore une fois, dévoiler sa relation avec Céline Dion. Les rumeurs se sont faites nombreuses. On a dit, entre autres, que René Angélil avait eu une crise cardiaque dans un restaurant de New York. Dans son livre, Jean Beaunoyer raconte qu'après avoir pris un gros repas dans un restaurant, il a eu sa crise cardiaque à l'aéroport de Los Angeles au moment où le couple devait prendre l'avion pour New York.

Cette crise cardiaque ne laisse cependant plus aucun doute sur le couple: dans une entrevue, Céline avoue avoir eu très peur de perdre cet homme qui fait battre son cœur. Pour la première fois, la chanteuse parle d'amour entre elle et son gérant. René Angélil n'est pas que l'imprésario de Céline, il est aussi son amoureux. Comme à son habitude, René Angélil n'a presque pas parlé de ce grave malaise cardiaque, et encore moins des déclarations de Céline.

Physiquement affaibli, il laisse Céline partir seule,

pour la première fois en dix ans, pour aller donner des spectacles et faire la promotion de son deuxième disque anglais, *Celine Dion*. Cet album a été beaucoup plus facile à réaliser que le précédent. Cette fois-ci, René Angélil est allé chercher un producteur de renom, Walter Afanasieff, qui avait déjà produit les albums de Mariah Carey, de Michael Bolton et de Whitney Houston. Plus tard, Walter Afanasieff fera la manchette des journaux artistiques français et québécois quand la chanteuse québécoise, d'origine belge, Lara Fabian, le choisira comme producteur (et amant pendant un certain temps) pour son premier album anglais. Le choix du titre de cet album, *Celine Dion*, (sans accent aigu sur le «e») est judicieux. Même si les anglophones connaissent les chansons de Céline, quand on prononce son nom, ils disent encore: «Celine who?»

Donc, après ce malaise cardiaque, Céline part sans René en tournée. Cet incident permettra à la chanteuse, pour la première fois de sa vie, de se prendre en main. On a toujours dit que René Angélil contrôlait absolument tout dans la carrière de son artiste. C'est probablement vrai jusqu'au 29 avril 1992. À partir de ce moment, on constate que Céline prend de plus en plus d'autonomie. On le voit aussi à Séville, lors de l'exposition universelle, où elle est invitée à chanter pour la fête du Canada au pavillon canadien et déclare qu'elle ne souhaite pas la séparation du Québec. Évidemment, les indépendantistes du Québec ont été offusqués, et Céline se rend compte que le *show business* et la politique est un mélange explosif. Le public québécois lui pardonnera assez facilement, mais cet événement marquera une évolution dans la carrière de Céline Dion et de René Angélil. La vedette peut maintenant voler de ses propres ailes.

Dans le tourbillon de la vie, 1992 aura été très marquante pour René Angélil!

Chapitre 11
La bague de fiançailles

Après 1992, la carrière de Céline Dion et, par le fait même, celle de René Angélil, prend un tournant inévitable. L'album *Unison* poursuit son chemin et Céline Dion est de plus en plus connue. René Angélil, probablement avec l'avis et, surtout, le consentement de Céline, ne néglige rien pour que sa protégée soit connue partout dans le monde. Elle a déjà conquis Montréal et tout le Québec, bien sûr, qu'elle ne délaisse jamais, et il y a la France, où il faut garder le public bien au chaud. On dit que pour faire carrière en France, il faut s'y installer pendant des années. René Angélil préfère y aller régulièrement. New York, Los Angeles et Toronto constituent les points d'attache du couple.

Mais pour faire connaître Céline davantage, il faut poser les bons gestes. En 1993, la CARAS (Canadian Academy of Recording Arts and Sciences) contacte René Angélil pour offrir à Céline l'animation des Junos. On a pensé qu'en donnant à Céline Dion l'occasion d'animer le gala, présenté pour la première fois directement de Vancouver, on pouvait donner plus de visibilité au gala dans tout le Canada. Le plus stressant pour Céline n'était pas tellement l'animation comme telle, mais le fait de parler seulement en anglais. Même si elle s'exprimait de mieux en mieux dans cette langue, elle ne la maîtrisait pas encore parfaitement. René Angélil savait que Céline était à son mieux quand la pression était forte, et il a encore gagné son pari car elle s'est très bien acquittée de sa tâche.

La vie pour le couple était cependant devenue impossible. Chaque fois que Céline Dion faisait une entrevue, on lui parlait de sa vie privée, de ses amours. Il ne faut pas s'imaginer que ce ne sont que les journalistes ou les animateurs et les animatrices qui voulaient savoir si Céline était en amour: il y avait aussi le grand public. Elle répondait toujours qu'elle était amoureuse et qu'un jour, elle pourrait le crier sur les toits. On savait tous que l'amoureux se nommait René Angélil, mais personne ne pouvait le dire ouvertement, puisque le couple ne l'avait pas annoncé publiquement.

Avant que l'annonce soit faite au grand jour, il fallait que René Angélil donne un signe à Céline. Ce signe devait se produire le jour de son vingt-cinquième anniversaire, soit le 30 mars 1993. Il était temps, puisque le couple vivait leur amour en cachette depuis maintenant cinq ans. Ce jour-là, Céline avait passé une journée à New York avec une amie pour aller consulter un médecin concernant des problèmes de gorge (elle avait dû, quelque temps auparavant, reporter des spectacles à cause de ce malaise). Pendant que Céline faisait cette visite éclair, René est allé louer une suite dans un grand hôtel de Montréal, a commandé un repas qu'il prévoyait passer en tête-à-tête avec la jeune femme et, à la fin de la journée, est allé chercher Céline à l'aéroport de Dorval. Pendant le repas, il lui a remis une bague de fiançailles. Cette bague a pris une valeur symbolique beaucoup plus grande que des fiançailles normales: cela signifiait que Céline pouvait enfin dire à tout le monde qu'elle était amoureuse de son imprésario, et René Angélil le savait très bien. Après cinq ans, l'homme qui n'a jamais eu peur de rien, sauf de dévoiler son amour, venait de faire un des gestes les plus significatifs de sa vie.

Quelque temps après cette soirée de fiançailles tenue secrète, en revenant de Londres, le 3 mai, Céline se rend au chevet de sa filleule, la petite Karine, qui devait mourir dans ses bras des suites de la fibrose kystique. On savait que Karine allait mourir, mais l'espoir était toujours présent tant et aussi longtemps que le cœur battait. René Angélil se trouvait sur place et n'a jamais commenté ce décès. Céline en a parlé abondamment non seulement pour exorciser sa peine, mais aussi pour faire connaître la maladie et pour éveiller les gens à l'importance de venir en aide à ceux qui en sont atteints.

The Colour of My Love

La prochaine étape dans la vie de René Angélil sera déterminante. En 1993, Céline Dion enregistre *The Colour of My Love*, l'album qui la propulsera au sommet des palmarès et de la popularité. Le lancement a eu lieu encore une fois au Métropolis. Toujours organisé par Francine Chaloult, l'événement était très attendu. D'habitude, lorsqu'on fait un lancement de disque, on invite beaucoup de monde. À part les journalistes de la presse écrite et parlée, on y rencontre surtout les gens du milieu, et tous ceux qui ont contribué au disque: les techniciens, musiciens, employés de la compagnie qui produit et distribue l'album. On remplit la salle; les invités s'empilent les uns sur les autres, les journalistes peuvent difficilement faire des entrevues de fond, n'ayant que quelques minutes avec l'artiste qui lance l'album. Mais, pour Céline Dion, c'est différent; on fait une conférence de presse. L'artiste est installée sur la scène et se fait bombarder de questions par les journalistes. De plus, pour le lancement de *The Colour of My Love*, René Angélil tenait à ce que des gens du public soient présents. On a donc rempli le Métropolis à pleine capacité et Sonia Benezra a animé le lancement. Céline a chanté quelques chansons mais, dans la salle, les journalistes voulaient surtout savoir ce que signifiait le petit texte qu'on pouvait lire sur la pochette de l'album et qui se terminait ainsi: «Rene, you're the colour of my love.» («René, tu es la couleur de mon amour.») C'était la déclaration d'amour tant attendue. Mais comme les journalistes ne pouvaient pas avoir une entrevue exclusive avec l'artiste, Céline Dion s'est chargée de nous mettre au courant. Elle a déclaré qu'elle avait l'intention d'épouser René et, en interprétant la dernière chanson, elle l'a fait monter sur la scène et l'a embrassé tendrement sur la bouche, ne laissant aucune équivoque sur leur amour.

On ne saura jamais vraiment pourquoi René Angélil a hésité pendant toutes ces années. Pourquoi a-t-il pris autant de temps à ouvrir son jeu, à mettre ses cartes sur la table? En affaires, René Angélil est doué; en amour, ça semble beaucoup plus difficile. En 1999, il a déclaré, lors d'une longue entrevue accordée à Stéphan Bureau à Radio-Canada: «Quand on a commencé à travailler sur son nouveau disque *Incognito* (1986), avec le nouveau *look*, j'ai vu une autre personne moi aussi, comme le public. J'étais amoureux de son talent, ça c'est certain. Je ne savais pas que j'étais amoureux d'elle, mais je ne la regardais plus de la même façon. Ça me travaillait. Moi, j'étais séparé, j'étais seul. Mais je me disais que ça n'avait pas d'allure, j'essayais de m'enlever ça de la tête. Puis, un soir, en Irlande, c'est arrivé comme ça, comme on voit dans les films. Le cœur n'a pas d'âge. C'est arrivé, et tant mieux.»

René Angélil aura quand même pris cinq ans avant de déclarer publiquement son amour et, surtout, faire taire toutes les rumeurs et les fausses nouvelles concernant le couple. Il était temps!

René se sera trompé, cette fois-ci. Ce long secret, cet amour caché sous prétexte que le grand public s'offusquerait de voir un homme aussi âgé amoureux d'une jeune femme était une erreur (qui ne changera cependant rien à leur relation). En annonçant la nouvelle, il s'est vite rendu compte que les gens s'en fichaient un peu. Même quand elle avait vingt ans, Céline était assez âgée pour être amoureuse de qui elle voulait. De toute façon, les gens, comme je le dis souvent, l'aiment parce qu'elle chante bien. Le reste est moins important. En dévoilant leur amour au grand jour, René Angélil a compris que personne ne lui en voulait, ne riait de lui ou n'avait de reproches à lui faire.

Chapitre 12

Un mariage
qui fait parler

Il aura fallu plus de six ans avant d'apprendre que René Angélil et Céline Dion veulent se marier. Le couple, qui avait finalement avoué être en amour en 1993, veut faire une grande fête de son mariage.

Pendant plus de quatre ans, ils n'ont jamais laissé filtrer la moindre information concernant leur amour, même si tout le monde sait, tant dans le grand public que dans le milieu journalistique, qu'ils sont amoureux et qu'ils vivent ensemble. C'est d'ailleurs ces «cachotteries» qui ont contribué à alimenter une foule de rumeurs les concernant. Depuis combien de temps sont-ils amoureux l'un de l'autre? S'ils le cachaient, peut-être y avait-il des choses que le couple préférait ne pas dévoiler publiquement?

Un mariage royal, ont dit les journaux. Pourtant, ce mariage nous aura fait découvrir un peu mieux qui est vraiment René Angélil. Si Céline Dion parle beaucoup d'amour, René Angélil n'en parle que très peu. Il approuve ce que dit Céline, mais il ne répond jamais vraiment aux questions. L'annonce publique de leur mariage a été faite au mois de novembre lors d'une conférence de presse au restaurant La Mise au Jeu, au Forum de Montréal.

Depuis quelque temps, quand Céline Dion donnait une conférence de presse, toujours assise près de René, la foule de journalistes, de caméramen, de photographes, tant du milieu anglais que français, s'entassait dans une salle souvent trop petite. On profitait de son passage pour faire de la promotion, lancer un nouvel album, lui remettre des récompenses, des disques platine ou or. Sony Music saisissait aussi l'occasion pour faire de la surenchère, de la promotion. Céline avait toujours l'air de s'embêter dans ce genre de rencontre, mais c'était l'occasion de parler, de poser des questions à René Angélil.

Mais ce jour de novembre est spécial puisqu'en plus de lancer l'album *Céline à l'Olympia*, de lui remettre quelques trophées, le couple annonce la date de son mariage. À partir de ce moment, ça a été la guerre médiatique, la course vers l'exclusivité. Quel journal aurait la chance de couvrir l'événement? Il faut dire qu'au Québec, nous ne sommes pas habitués à de grands mariages publics.

Normalement, pour un événement d'une telle envergure, on fait parvenir de l'information aux journaux, aux stations de radio et de télévision, on fait remplir des fiches d'accréditation, limitées à une ou à quelques personnes, selon l'importance du média, et on planifie ainsi le gala, le lancement ou l'événement en sachant à l'avance le nombre exact de personnes qui seront présentes. René Angélil — et il semble vraiment avoir été le maître d'œuvre médiatique du mariage — n'a pas du tout procédé de cette façon. Il a négocié son mariage; il a vendu l'événement au plus offrant, ce qui, il faut bien l'admettre, a mis en colère plusieurs médias.

L'annulation et les injonctions

Bien avant la controverse entourant la couverture médiatique du mariage de la plus grande star du Québec avec son gérant, les gens se sont indignés de voir que René, marié déjà deux fois, tentait de faire annuler son premier mariage pour pouvoir conduire Céline au pied de l'autel. On sait que l'Église catholique n'accepte pas de marier religieusement une personne divorcée à moins que le mariage précédent soit annulé. (René Angélil n'avait besoin de faire annuler que son premier mariage avec Denyse Duquette car le deuxième, avec Anne-Renée, avait été célébré civilement.)

L'annulation est souvent difficile à obtenir. On a même dit qu'il fallait la permission du pape pour annuler un premier mariage. Celui de René Angélil fut assez rapidement annulé, et les gens ont immédiatement pensé que l'argent pouvait faire accélérer bien des choses. René Angélil n'a jamais commenté cette histoire.

Selon Jean Beaunoyer, auteur de la biographie non autorisée de Céline Dion, René Angélil a pu obtenir facilement et rapidement l'annulation de son premier mariage parce qu'il avait été célébré chez les catholiques maronites et que cette religion n'a pas beaucoup de demandes d'annulation de mariage, ce qui accélère le processus. Il en a coûté environ 1 000 $ à René, ce qui n'est pas excessif. Quant à Georges-Hébert Germain, dans sa biographie «autorisée», il escamote le sujet, ce qui donne à penser que René Angélil a quelque chose à cacher ou qu'il se refuse d'en parler. Il cite même en exemple l'annulation du mariage de Caroline de Monaco, qu'elle avait obtenue du Saint-Père, mais le processus avait été extrêmement long. Si l'annulation du premier mariage de René Angélil a été aussi simple que l'explique Jean Beaunoyer, pourquoi le principal intéressé n'a-t-il pas raconté la même histoire à Georges-Hébert Germain? Le mystère reste complet.

Le fameux mariage a eu lieu le 17 décembre 1994. Il faisait un froid de canard, ce froid humide qui vous transperce la peau. On avait installé des barrières en métal sur le parvis de l'église derrière lesquelles tous les journalistes et tous les photographes se sont installés pour recueillir des informations et des entrevues avec des invités qui arrivaient en limousine. J'y étais. On ne voulait pas manquer les Michael Jackson et autres grosses vedettes de Sony Music qui devaient s'y présenter. Malheureusement pour nous, qui faisions le pied de grue, nous ne les avons vus que défiler, tous les invités qui s'engouffraient rapidement dans l'église Notre-Dame, à Montréal, sans vraiment pouvoir leur parler.

Pour bien des gens du milieu artistique, ce mariage a été un très mauvais souvenir sur le plan professionnel.

Quelques jours avant l'événement, René Angélil avait entrepris des démarches pour offrir aux différentes publications la chance de couvrir en exclusivité son mariage. Les éditeurs, sachant que ce mariage ferait vendre leur magazine comme des petits pains chauds, voulaient avoir le droit d'être présents tout au long du déroulement du mariage. René Angélil a rencontré M. Pierre Péladeau, grand patron de Quebecor, pour lui proposer l'exclusivité des images à l'intérieur de l'église et à la réception qui se tiendrait à l'hôtel Westin, rue Sherbrooke. Mais le prix exigé n'intéressait pas du tout M. Péladeau. L'imprésario s'est donc tourné vers la compagnie Trustar et son propriétaire, M. Claude Charron (à ne pas confondre avec l'ex-ministre et animateur à la télévision), et une entente a été signée. Trustar a payé 200 000 $ pour couvrir l'événement en exclusivité. On a laissé aux autres publications le droit de prendre des photos à l'extérieur de l'église, et une courte conférence de presse a été organisée dans une salle de l'hôtel Westin, après la cérémonie religieuse, pour donner la chance aux journalistes de poser des questions, mais surtout pour permettre aux photographes de prendre des clichés des époux.

Cette façon d'agir de René Angélil en a choqué plusieurs, et certains propriétaires de journaux ont demandé des injonctions (Quebecor — *Échos Vedettes* et le *Journal de Montréal* principalement — et Amylitho, propriétaire du journal *Allô Vedettes*) pour pouvoir avoir accès à l'église, prétextant que l'événement était public, que l'église Notre-Dame était aussi un endroit public que tout le monde pouvait fréquenter, en tout temps. Chacun voulait publier une édition spéciale sur le mariage de Céline Dion et de René Angélil. Mais sans avoir le droit d'entrer à l'église et d'assister, même pour quelques instants, à la cérémonie, la tâche devenait difficile. Les injonctions ont été rejetées quelques heures avant le mariage, et Trustar est demeurée la seule maison d'édition à pouvoir couvrir l'événement du début à la fin. Pendant la cérémonie religieuse, certains journalistes, dont un journaliste anglophone de Montréal qui vend ses reportages au *Globe* et au *National Enquirer*, avaient même tenté de s'introduire dans l'église, sans succès. Tout le monde était à la recherche d'images inédites.

Encore une fois, René Angélil a gagné. Trustar a publié son numéro spécial et a fait passablement d'argent avec son magazine qui a cependant coûté très cher. Les autres publications mettront, dès le lendemain, une édition spéciale sur le marché et chacun, finalement, y trouvera son compte.

Pendant les semaines qui ont précédé ce fameux mariage, tout le monde était à la recherche de *scoops*. Je me souviens avoir obtenu, d'un employé de l'hôtel Westin, des informations privilégiées. Celui-ci m'avait fait parvenir le menu de la réception et le nombre d'invités, et m'avait raconté que des tables de jeux avaient été installées dans les salles réservées pour la noce.

On cherchait aussi à savoir où Céline avait acheté sa robe. On faisait des allusions à Chanel, à Paris, mais on devait découvrir, quelques semaines avant le mariage, que c'était une couturière de Saint-Léonard, Mirella Gentile, qui avait créé la robe. On a tout fait pour obtenir une entrevue avec cette dame, mais sans succès.

On voulait aussi savoir ce que le couple allait recevoir en cadeaux de noces. On a alors appris qu'ils avaient demandé aux invités de verser des dons à l'Association québécoise de la fibrose kystique. Cette nouvelle, que j'avais obtenue en exclusivité, n'a été confirmée ni par le bureau de Francine Chaloult, attachée de presse de Céline Dion, ni par les intéressés évidemment. Nous avons publié quand même la nouvelle sans savoir si cela avait quelque peu forcé la main au couple à remettre une somme importante à l'association, soit près de 100 000 $.

Si Céline Dion était radieuse, le mariage qu'on aurait voulu royal fut, d'une certaine façon, quelque peu décevant: les grandes vedettes ne se sont jamais présentées, mais ce qui a intrigué bien des gens, ça a été l'attitude triste de Céline. Elle souriait peu. On avait l'impression qu'elle jouait un personnage. Toutes les indiscrétions, vraies ou fausses, ont circulé. On a dit que, la veille du mariage, le couple avait eu une dispute sérieuse. Il faut dire que Céline Dion était exténuée. Elle avait donné des spectacles deux jours avant le grand événement pendant que René Angélil et ses amis étaient à Las Vegas. Céline aurait préféré que son futur soit près d'elle. On a aussi raconté que cette fameuse dispute, les injonctions et l'exclusivité signée avec Trustar avaient perturbé Céline et

Après le spectacle
Falling Into You
donné au centre Molson.

Après avoir subi des traitements de radiothérapie et de chimiothérapie, René Angélil, en conférence de presse, parle de son état de santé et donne des informations sur le spectacle de Céline du 31 décembre 1999 au centre Molson.

Le 17 décembre 1997, René Angélil et Céline Dion se marient et donnent une conférence de presse au Westin de Montréal (devenu aujourd'hui l'hôtel Omni).

Un mariage qui a fait beaucoup de bruit et qui n'a pas plu à tous, en particulier certaines publications exclues des festivités.

qu'elle n'approuvait pas les décisions de son futur époux. Habituellement, Céline Dion ne se mêle jamais de ces négociations, mais cette fois-ci, elle qui n'a jamais favorisé une publication au détriment d'une autre, aurait trouvé injuste que René agisse ainsi. Évidemment, elle ne l'aurait jamais dit publiquement.

Ce fameux mariage a fait naître, bien sûr, une foule de rumeurs. Comme les journalistes n'étaient pas présents, il fallait partir à la chasse aux témoignages, aux déclarations de gens qui se trouvaient à la réception. Curieusement, peu de gens ont voulu parler (une des grandes forces de René Angélil, on le verra dans un prochain chapitre, est d'influencer l'information) de ce qui s'était passé pendant ce mariage. Tout le monde s'est bien amusé. La fête, organisée par Mia Dumont et Mme Lacroix, épouse de Pierre Lacroix (directeur général du club de hockey l'Avalanche du Colorado, et ami de René Angélil), a ébloui les cinq cents invités. Pétales de roses sur les planchers, grand orchestre dirigé par David Foster, cent cinquante chambres réservées à l'hôtel pour les invités qui désiraient y coucher, bref, René Angélil a «mis le paquet». Mais on a dit que Céline était montée tôt à sa chambre, qu'il régnait une atmosphère un peu tendue et que, bien que la noce ait été très bien organisée, elle n'avait pas répondu à toutes les attentes, principalement à celles de la mariée.

Le coût de l'«opération» a été évalué à environ 500 000 $.

Chapitre 13
La gloire

La vie de René Angélil prend, à compter de 1994, un tournant évident. Marié, de plus en plus riche, il approche du rêve qu'il caresse depuis longtemps. *The Colour of My Love* connaît un excellent début. Les Américains ne peuvent plus passer à côté. Céline Dion est partout, on l'entend régulièrement à la radio, on la voit à la télévision. René Angélil n'a que l'embarras du choix. Céline Dion est en demande partout dans le monde. Mais René préfère organiser une grosse tournée. En 1994, Céline Dion fait la première partie du chanteur Michael Bolton.

Jean-Jacques Goldman

L'adage voulant que «l'ambition tue son maître» ne s'est jamais appliqué à René Angélil. Au moment de son mariage, en 1994, *The Colour of My Love* a déjà dépassé le cap des deux millions d'albums vendus aux États-Unis et approche les trois millions, lorsqu'on considère le monde entier.

La fin des années 1980 et le début des années 1990 sont marquées par le règne du gigantisme. À partir de ce moment, on voit naître des multimillionnaires dans plusieurs milieux: les sportifs, les acteurs et les actrices reçoivent maintenant des millions pour pratiquer leur sport ou pour tourner un film. La mondialisation permet à une vedette de se faire connaître partout dans le monde, et beaucoup plus facilement qu'auparavant. René Angélil ne le sait que trop bien.

Tout en faisant la promotion de l'album *The Colour of My Love*, René Angélil met en marché deux disques: une compilation des premières années de la carrière de Céline, appelée subtilement *Les Premières Années*, et un disque *live*, *Céline Dion à l'Olympia*. Malgré tout cela, l'imprésario pense déjà à faire un autre album en français et, dans ce but, entre en contact avec Jean-Jacques Goldman. Ce choix peut paraître curieux puisqu'au Québec, il n'est pas une vedette, il est peu connu. On sait que Goldman est un homme très sérieux, un excellent musicien, mais un compositeur un peu triste, très songé. Les Français l'adorent cependant. En France, Angélil aurait pu choisir des auteurs comme Alain Souchon, les collaborateurs de Julien Clerc ou de Johnny Hallyday. Il aurait pu faire un album avec les chansons de Gainsbourg, ou aurait pu solliciter le chanteur Renaud, beaucoup plus engagé socialement et politiquement, pour écrire des chansons. Il a choisi Goldman, avec le succès qu'on connaît. De toute façon, on doit admettre, sans jamais être capable de le vérifier, encore moins de le prouver, que le talent de Céline aurait permis à n'importe quel auteur et compositeur de connaître le succès.

En 1994 donc, avec la complicité de Jean-Jacques Goldman, apparaît, sur les étalages des disquaires, l'album *D'Eux*, qui sera distribué aux États-Unis sous le même titre mais avec la mention *The French Album*. Battons le fer quand il est chaud et il est très chaud!

La chanson *Pour que tu m'aimes encore*, sur l'album *D'Eux*, connaît un succès sans précédent. René Angélil n'est pas peu fier, non plus, lui qui a la mémoire longue, de constater que *D'Eux* deviendra le meilleur vendeur au Québec, dépassant de beaucoup le record de 350 000 exemplaires de *Je ne suis qu'une chanson* de Ginette Reno. Pour un joueur, battre un record est toujours une très grande satisfaction.

Le reste est déjà bien connu. Après *D'Eux*, on se prépare à ce qui devait devenir, en 1996, le plus grand succès mondial, soit l'album *Falling into You*, suivi d'une tournée mondiale. Céline Dion devient la meilleure vendeuse de disques de toute la planète. Mais, juste avant la sortie de *Falling into You*, une expérience désagréable, qui aurait pu mal tourner, nous permet de voir comment René Angélil, comme à son habitude, peut garder le silence quand la tension monte un peu et que les journalistes veulent en savoir un peu plus.

Phil Spector

Phil Spector est un producteur qui a connu la gloire dans les années 1980 et qui vient d'être honoré aux derniers Grammy 2000. Un soir, il a vu et entendu Céline Dion à la télévision. Il a aussitôt voulu produire un album de ses chansons avec Céline. René Angélil, fan de toutes les vedettes de son temps, était enchanté. Il a mis Spector et Céline en contact et ils ont commencé à travailler ensemble. Mais la relation s'est détériorée très rapidement. Spector, un marginal, ne voulait que faire à sa tête. Il a produit quatre chansons avec Céline, qui n'ont jamais vu le jour.

Spector a déjà déclaré qu'il était impossible de travailler avec une compagnie comme Sony (qui avait acheté CBS entre-temps) et qu'il n'acceptait pas qu'on lui mette des bâtons dans les roues. Il a même menacé de lancer sur le marché, sur sa propre étiquette, les chansons de Céline. Cela n'était pas très inquiétant pour Sony et René Angélil car ils savaient que, sur le plan juridique, il n'avait pas de droit. La version d'Angélil sur cette mésentente avec Spector est simple: Spector est un fou, génial, mais fou. René Angélil n'a jamais exprimé ses sentiments, mais il ne serait pas étonnant qu'il ait été un peu triste de la situation, en raison du fait que Spector avait été son idole.

Il est intéressant de noter, à ce moment-ci, que René Angélil a toujours été un «groupie», un fan des vedettes américaines, Elvis Presley en particulier et plus encore le Colonel Parker (son agent). Certains observateurs pensent même que Angélil s'est inspiré du Colonel pour diriger la carrière de Céline. On n'a qu'à voir son attachement pour le Caesar's Palace et Las vegas, où Elvis a fini sa carrière, l'intérêt de Céline pour faire du cinéma (le Colonel Parker ne voyait pas, d'un très bon œil, lui non plus, que son poulain délaisse la chanson pour le cinéma) et les efforts que René Angélil a fait pour doter la chanteuse d'un prénom aux États-Unis, *Celine*, similaires à ceux du Colonel, qui s'est acharné à faire connaître le prénom d'Elvis à travers le monde.

Il est important aussi de dire que, en permettant à Céline Dion de chanter en duo avec Barbra Streisand, Carole King, Luciano Pavarotti et les Bee Gees, René Angélil réalise son propre rêve. Car ces chanteurs ne sont pas de l'âge de Céline, mais plutôt de la génération de René Angélil. Quand René se trouvait à Hollywood, dans les premières rangées, pour la soirée des Oscars, il jubilait. Son grand ami Guy Cloutier a déjà raconté des anecdotes les concernant: Un soir de 1996 ou de 1997, dans un restaurant, alors que le film *Parfum de Femme*, mettant en vedette Al Pacino, est présenté sur les écrans, Cloutier et Angélil aperçoivent un comédien bien connu non loin d'eux: «Nous avons toujours été très attirés par les ve-dettes», a raconté Guy Cloutier lors d'une entrevue qu'il accordait à une émission de radio. «René me donne des coups de coude pour me montrer le comédien qui se trouve près de nous. Nous nous sommes levés pour aller le saluer et j'ai dit au comédien: "Vous étiez excellent dans le film *Parfum de Femme.*" Le comédien m'a regardé et m'a dit: "Ce n'est pas moi, c'est Al Pacino qui joue dans ce film." J'avais confondu Al Pacino avec Robert De Niro, notre comédien préféré à René et à moi.» Cette anecdote ne laisse pas de doute quant au plaisir qu'a dû ressentir René Angélil, entouré de toutes ces vedettes.

Chambre à part

C'est aussi l'époque où le couple Dion-Angélil fait vendre beaucoup de journaux et monter les cotes d'écoute à la télévision. Comme journaliste, je cherchais toujours l'his-toire, le *scoop* qui nous permettrait d'informer les lecteurs et d'arriver avec une nouvelle inédite. René Angélil, comme à son habitude, ne donne pas beaucoup de «jus» aux journalistes. Céline est beaucoup plus coopérative. Tous les journalistes du milieu cherchaient à connaître les raisons de leurs disputes. On se disait qu'ils devaient bien se disputer, comme tous les couples.

C'est à cette période que la rumeur la plus farfelue est sortie dans un magazine français. On y lisait que le couple faisait maintenant chambre à part: que Céline se couchait toujours très tard et qu'elle se levait aussi très tard, contrairement à René qui se couchait plus tôt et qui se levait très tôt pour administrer l'énorme machine qu'était devenue Céline Dion.

Alors que Céline, qui est beaucoup plus ouverte, a souvent parlé de ses prises de bec avec René, il a tou-jours été impossible de savoir, de la bouche de René

Angélil, de quoi il en retournait. Têtu, avec un caractère difficile: «J'ai le sang bouillant, je suis un arabe», a dit René Angélil à Stéphan Bureau lors d'un reportage à Radio-Canada en 1999. Les étincelles devaient être fréquentes entre eux, mais on ne peut pas compter sur l'impresario pour en dévoiler les moindres détails!

Il faut aussi noter que jamais, du moins à ma connaissance, j'ai entendu René Angélil parler de la possibilité d'avoir un enfant avec Céline Dion. Cette dernière en parle beaucoup et depuis longtemps. Mais jamais René Angélil a dit qu'il espérait donner un enfant à son épouse. Est-ce un signe qu'il n'y tient pas plus que cela ou est-ce simplement un trait de son caractère de garder le silence quand il ne veut pas s'engager ou se mouiller? D'ailleurs, toute l'histoire entourant le gel de ses spermatozoïdes avant de subir, en mai 1999, des traitements de chimiothérapie pour permettre à Céline de se faire inséminer si jamais il devenait stérile, semble incroyable. Cette nouvelle a d'ailleurs été démentie, mais les journaux français, dont le numéro de juin 1999 du magazine *Gala*, continue à dire que Céline rêve toujours d'avoir un enfant et que le sperme de René Angélil est congelé.

La nouvelle pouvait sembler farfelue et on croyait bien se trouver devant un canular quand, à la fin de l'année 1999, lors de son passage à la populaire émission de télévision américaine *Larry King Live*, Céline avouait avoir demandé à René de faire congeler son sperme avant les traitements de radiothérapie et de chimiothérapie.

Un train à toute vitesse

Depuis la sortie de *Falling into You*, René Angélil, le joueur, ne peut plus s'arrêter. Céline travaille comme une forcenée. René Angélil a toujours dit que pour mener une carrière comme celle de Céline, il faut planifier trois et même quatre ans à l'avance. Il n'est pas question d'arrêter, malgré quelques petits problèmes de santé. Céline est forte, elle ne reportera que quelques spectacles. René Angélil planifie déjà le prochain album et la prochaine tournée américaine et européenne, même si celle qui est en cours n'est pas terminée. Il élabore déjà des choses extravagantes et impressionnantes (dont une scène magique).

Puis, viennent un premier Grammy pour le meilleur album de l'année, *Falling into You*; l'interprétation d'une chanson de Barbra Streisand aux Oscars devant, entre autres, Tom Cruise, Nicole Kidman et Muhamad Ali, interprétation que Streisand n'entendra jamais puisqu'elle est sortie de la salle pour des raisons obscures (aux toilettes disent les rapports officiels); la chanson d'ouverture aux jeux Olympiques d'Atlanta en 1996 et; finalement, juste avant la sortie de *Let's Talk about Love*, la chance inouïe de chanter *My Heart Will Go On* du film *Titanic*.

René Angélil n'a jamais rêvé autant, ni pour Céline ni pour lui. La gloire et tout ce qui l'accompagne sont cependant suivis, comme il lui arrive souvent dans sa vie, de deux mauvaises nouvelles. Premièrement, la mort de sa mère en 1998, à l'âge de 78 ans. Puis, moins d'un an plus tard, il apprend qu'il est atteint d'un cancer. Le bonheur simple, sans un malheur gros ou petit qui l'accompagne, semble impossible à vivre.

Chapitre 14

L'art d'influencer l'information

«Avec l'expérience, j'ai appris. Aujourd'hui, je ne me défends plus, j'attaque». Cette phrase a été prononcée en 1998 par René Angélil lors de la conférence de presse annonçant que le gala de l'ADISQ de cette même année sera animé par nulle autre que Céline Dion. Le choix allait de soi parce que personne, au Québec, n'a reçu autant de Félix que Céline Dion.

René Angélil attaque. Cette phrase est très significative parce que, pendant un certain temps, on ne sait pas trop quelles mouches l'ont piqué: René Angélil devient le roi des mises en demeure. Il faut dire que gérer une carrière internationale comme celle de Céline Dion demande une certaine fermeté. Car on sait que beaucoup de faussetés au sujet d'une vedette peuvent être rapportées dans certains journaux et émissions de télévision. Et pour les contenir, il faut être vigilant.

Ne touchez pas à l'idole!

René Angélil ne peut supporter les allusions aux relations intimes qu'il aurait pu avoir avec Céline Dion quand celle-ci était mineure. Ainsi, Raymond Beaudoin, le célèbre journaliste des Bleu Poudre, personnage désagréable et dérangeant, interprété par Pierre Brassard, que des gens comme Pierre Elliott Trudeau et Michèle Richard ne portent pas dans leur cœur, a interviewé Céline Dion et a fait allusion à cette rumeur. Quand Raymond Beaudoin a demandé à Céline, devant la caméra, si elle «frenchait» René Angélil depuis longtemps, celui-ci s'est interposé d'une façon non équivoque et a ordonné à Pierre Brassard de ne pas montrer cette courte scène à l'écran. Les Bleu Poudre se sont conformés à cette demande, mais lors d'une rétrospective de leurs meilleurs moments, quelques années plus tard (René Angélil et Céline Dion étaient alors mariés), on a pu voir à l'écran cette courte altercation entre les deux protagonistes.

Dans le même ordre d'idée, René Angélil a intenté une poursuite en diffamation de 20 millions de dollars contre l'hebdomadaire *Photo-Police* et Les Éditions Le Boisé. Les parties ont réglé hors cour pour un montant non dévoilée à être versé à l'Association québécoise de la fibrose kystique.

En France, ce genre de poursuites est fréquent, mais les montants accordés sont tellement ridicules que les éditeurs évaluent qu'il vaut mieux publier une nouvelle tendancieuse parlant de la vie privée des artistes et payer le montant s'il y a une poursuite, que de ne pas publier la nouvelle. Par exemple, Johnny Hallyday, Sophie Marceau, Isabelle Adjani et plusieurs autres artistes français ont été victimes de ce genre d'affaires et ont obtenu gain de cause. Cela n'empêche pas certains journaux de continuer, même en étant condamnés, puisque ce genre de «grosse nouvelle» sur la vie privée des artistes fait vendre énormément de journaux. En bout de ligne, le profit est très important, même en payant une compensation monétaire. Les éditeurs français sont aussi souvent poursuivis pour la publication de photos prises à l'insu des vedettes par des paparazzi qui violent, par le fait même, les lois sur le respect à la vie privée

La situation n'est pas du tout la même au Québec. Le phénomène des paparazzi n'y existe presque pas. Une publication ne peut risquer non plus une condamnation, le bassin de population n'étant pas assez grand pour faire beaucoup d'argent avec un seul numéro d'une publication. De plus, les Québécois vénèrent beaucoup leurs artistes. Une nouvelle tendancieuse et négative, qui est fausse, peut faire beaucoup plus de tort au journal qui la publie. À long terme, ce dernier risque à la fois de perdre sa crédibilité et ses acheteurs.

Convaincre à tout prix

On le sait, René Angélil aime bien influencer les médias. Il déteste que les journalistes et les critiques fassent un mauvais papier sur sa protégée. Il a d'ailleurs toujours pensé que les intellectuels du Québec n'aimaient pas Céline Dion. Au début de sa carrière, il faut bien le dire, la petite Dion ne payait pas de mine avec ses allures et son langage particuliers, et ses chansons mielleuses n'avaient pas la faveur de tout le public québécois. Angélil sait bien qu'on ne peut pas plaire à tout le monde (bien qu'avec les millions de disques vendus à travers le monde, il est en mesure de penser que sa chanteuse plaît beaucoup), mais quand un critique musical d'une publication importante se permet un texte négatif, René Angélil prend les moyens pour le convaincre des qualités artistiques de Céline. Habituellement, l'opération charme fonctionne.

Mais il n'y a pas que l'opération charme qui fonctionne dans l'influence de l'information. En 1996, en apprenant qu'une jeune journaliste, Nathalie Jean, s'apprêtait à publier, aux Éditions Quebecor, une biographie de Céline Dion (qui, soit dit en passant, était une biographie élogieuse, écrite par une jeune femme qui aimait beaucoup la chanteuse), René Angélil manœuvra pour que le livre ne paraisse. C'est qu'il avait lui aussi l'intention de publier une biographie sur Céline. Il offrit à Nathalie Jean une somme de 20 000 $ (somme qui ne devait pas être dévoilée), si elle renonçait à publier sa biographie pendant les trois prochaines années. Et il offrit à Quebecor de renoncer à son projet en échange de la publication de la biographie «autorisée» de Céline aux éditions Libre Expression, propriété de Quebecor. De cette façon, Quebecor ne perdait pas au change puisqu'il mettait, de toute façon, la main sur un livre qui devait bien vendre et René Angélil, lui, faisait taire la concurrence.

La sortie, en 1997, de deux biographies de Céline Dion, «l'autorisée» et la «non autorisée» a aussi donné lieu à des jeux de coulisses, des luttes médiatiques, une vraie partie de poker comme les aime Angélil. Jean Beaunoyer, l'auteur de *Céline Dion, Une femme au destin exceptionnel*, la biographie «non autorisée», s'est vu refuser une foule d'entrevues et a été incapable d'interroger tous les gens qu'il aurait aimé interviewer pour peaufiner son travail. Quant à Georges-Hébert Germain, l'auteur de la biographie «autorisée» et aussi conjoint de Francine Chaloult, attachée de presse de Céline Dion, il a eu droit à toutes les informations qu'il désirait. Il a passé presque un an avec la chanteuse et son équipe et il a posé toutes les questions qu'il a voulues.

Mises en demeure

René Angélil parvient aussi à influencer l'information en faisant parvenir aux journaux des mises en demeure quand il n'aime pas le contenu d'un article ou qu'il le juge faux.

En tant que journaliste, j'ai moi-même reçu des mises en demeure du bureau des Productions Feeling Inc. Par exemple, en 1998, j'avais écrit un article relatant le contenu d'une poursuite intentée à René Angélil, Céline Dion et Les Productions Feeling Inc. Brièvement, un individu, Carl Legault, prétendait, dans sa poursuite, avoir eu une entente verbale avec René Angélil pour lancer une ligne de lingeries fines du nom de Céline, et qu'il y avait eu bris de contrat. Le titre de la Une se lisait comme suit: *Problèmes légaux pour Céline et René.* Puis, on apprenait, au début de l'année 2000, que la pousuite a été abandonnée.

Un jour, René Angélil a eu un différend avec le réseau de télévision TVA. Céline Dion devait passer à l'émission *Ad Lib*, animée à cette époque par Jean-Pierre Coallier. TVA exigeait que Céline Dion passe en exclusivité, c'est-à-dire qu'elle ne donne pas d'entrevue ou de prestation dans un autre réseau de télévision avant ou dans la même journée que *Ad Lib*. René Angélil n'était pas d'accord car il avait planifié des entrevues pour Céline ainsi que des passages à des émissions de télévision à d'autres réseaux. TVA a catégoriquement refusé de céder sur ce principe d'exclusivité qui, d'ailleurs, peut avoir des conséquences malheureuses, allant jusqu'à priver les téléspectateurs de voir leurs vedettes au petit écran. Car plusieurs artistes, surtout ceux qui viennent de l'extérieur, pourront décider que le voyage n'en vaut pas la peine et ne pas se déplacer pour faire de la promotion s'ils n'ont droit qu'à une seule apparition à la télévision. Par exemple, le chanteur français Herbert Léonard, très populaire ici il y a quelques années, avait annulé un voyage au Québec en raison de cette fameuse clause d'exclusivité. Donc, puisque TVA a refusé de plier, René Angélil, en prenant bien soin de leur faire comprendre que le réseau privé ses téléspectateurs d'une star, a informé la direction que sa protégée ne mettrait pas les pieds à TVA pour un bon bout de temps. Il faudra attendre plusieurs années avant de voir Céline Dion sur ce réseau.

Liste noire

L'émission intitulée *Médias*, diffusée le dimanche matin à la télévision de Radio-Canada, qui se veut un lieu de réflexion sur le rôle des médias dans notre société, a consacré, au début de l'année 1999, une émission entière sur l'influence qu'exerce René Angélil sur les médias, les journaux en général. On posait comme question: L'imprésario de la chanteuse la plus populaire au monde tente-t-il de contrôler l'information? Ce qui ressortait de cette émission était qu'il semblait bien qu'il valait mieux être du bon côté si on voulait jouir des faveurs ou du moins de ne pas se faire écarter d'une première ou d'une conférence de presse. On parlait même de l'existence d'une liste noire, de noms de journalistes ou de journaux qu'on évitait d'inviter à certaines premières, conférences de presse ou certains événements spéciaux donnés par le groupe de Céline Dion. Francine Chaloult, l'attachée de presse de Céline Dion, a nié l'existence de cette liste noire. Pourtant, il existe bien des gens et des journalistes qui ne sont jamais invités. Je connais au moins deux photographes et un journaliste qui sont «oubliés» lors de certains événements. Par exemple, il serait très étonnant que Sylvain Cormier, critique musical au journal *Le Devoir*, soit invité à une fête en l'honneur de Céline Dion. Il a déjà écrit une critique très sévère du spectacle *Let's Talk About Love* en 1999, traitant la chanteuse de «princesse Tupperware de la chanson». Comme pour son premier mariage avec Céline, René Angélil et son équipe ont choisi les invités, journalistes et photographes, qu'ils désiraient voir lors du renouvellement de ses vœux de mariage avec Céline Dion le 5 janvier 2000 à Las Vegas.

Avec le temps, René Angélil, comme tout bon joueur de cartes, a appris à jouer avec les médias. Il gagne parfois la partie, en d'autres occasions, il utilise une tactique du bridge: il se tait, ne répond pas, fait le «mort»; ce qui ne veut pas dire qu'il n'a pas un beau jeu. Quand, par exemple, le *New York Post* a fait état d'une poursuite intentée contre René Angélil (que le journal nommait «the poney tail manager» — l'imprésario à la queue de cheval — quand Angélil avait sa petite couette), celui-ci n'a rien fait contre le journal. Il a laissé passer la tempête. En bon joueur, il a préféré attendre.

Les gens m'ont souvent demandé pourquoi René Angélil attachait de l'importance à ce qui pouvait s'écrire dans les journaux. En effet, Céline Dion est une vedette internationale, aimée de son public comme personne n'a été aimée au Québec; le couple est riche à craquer, ayant un avenir monétaire assuré. Alors, pourquoi vouloir toujours tenter de rectifier ce que bien des gens considèrent comme des «insignifiances» dans les journaux? La meilleure des explications réside sans doute dans un des traits de personnalité de René Angélil: l'âme du joueur qui veut toujours gagner, qui veut toujours avoir raison, du moins au Québec.

Chapitre 15
L'avenir

Le 8 septembre 1999, René Angélil revenait à Montréal, en provenance de la Floride. Depuis la découverte d'un cancer en avril de la même année, il n'a fait aucune déclaration publique et n'a diffusé aucun communiqué pour informer les gens sur son état de santé. La salle de l'Ovation du Centre Molson, remplie à capacité, accueillait le couple célèbre en conférence de presse. René Angélil avait l'air en bonne forme. Il ne semblait pas avoir perdu beaucoup de poids mais il avait le teint un peu sirupeux, ce qui est tout à fait normal après un traitement de radiothérapie.

Comme à son habitude, il ne s'est pas beaucoup attardé sur son état de santé. Il a simplement expliqué qu'après avoir subi tous les traitements, les médecins lui ont dit qu'ils ne voyaient plus de trace de cancer. Une bonne nouvelle. Puis, avec un peu plus d'émotions, il a parlé des applaudissements chaleureux que lui ont réservé les spectateurs du Stade de France à Paris où Céline donnait un spectacle. Mais la conférence de presse visait surtout à annoncer le spectacle de Céline Dion, à vendre un produit, plutôt que de parler de l'état de santé de René

Angélil. Le talent de toute l'équipe, de la machine «Céline Dion» réside dans le fait de laisser croire qu'on assistera à un événement important quand il ne s'agit en fait que d'une activité promotionnelle. Comme les billets pour le spectacle du 31 décembre n'étaient pas tous vendus, il fallait en faire la promotion. Céline a beaucoup plus parlé que son mari. Elle a parlé de l'année sabbatique qui s'en vient et du dur combat qu'elle a mené avec son mari pour vaincre «leur cancer».

La maladie a changé René Angélil. Il n'est plus le même. De toute évidence, le fait de passer quelques mois avec Céline, dans la vie de tous les jours, mais principalement le fait d'avoir auprès de lui une femme qui prend un soin jaloux de sa santé ne le laisse pas indifférent. Il est, contrairement à Céline, peu démonstratif, mais on peut facilement lire dans ses yeux qu'il a apprécié ce rapprochement.

La fin du millénaire

Céline Dion et René Angélil sont devenus, au cours de l'année 1999, une entité indissociable. Il ne faut pas oublier que, depuis presque 20 ans, ils sont presque constamment ensemble. Leur complicité est complète. Un regard suffit sans qu'ils aient besoin, ni l'un ni l'autre, de s'expliquer. Mais, depuis 1999, on remarque que le couple ne se laisse plus. Partout où Céline est honorée, René Angélil l'accompagne. Il est beaucoup plus présent dans la vie de sa vedette que n'importe quel autre gérant d'artiste. René Angélil, contrairement à tous les autres gérants, s'impose pour recevoir les honneurs que son artiste reçoit. Par exemple, lors de l'imposant lancement pour la série télévisée *Maurice Richard*, Céline Dion, qui prêtait sa voix pour la narration de cette série, a été appelée à venir saluer Maurice Richard. Qui suivait derrière elle? Son mari et gérant. Quand Céline Dion a été honorée par l'UNESCO au mois de décembre, son mari et gérant était à ses côtés. Même chose quand le maire de Montréal, M. Pierre Bourque, a ouvert son livre d'or pour faire signer Céline Dion et lui remettre les clefs de la ville. René Angélil a signé et a reçu le même honneur. Cette attitude est nouvelle chez lui; il se faisait toujours plus discret auparavant dans ce genre d'événements.

Au dernier spectacle de Céline Dion avant deux ou trois ans, le 31 décembre 1999, il y avait vingt mille personnes qui assistaient. Le spectacle, télévisé sur le réseau TVA, a duré quatre heures. Mais cette soirée n'a pas plu à tout le monde. Il faut dire que les billets étaient excessivement chers (une moyenne de 300 $ par billet), et malgré tout, le Centre Molson de Montréal était quand même presque plein. La promotion du dernier spectacle de l'année offert par Céline Dion a déplu à des gens comme le journaliste Pierre Bourgault du *Journal de Montréal*. Il a surtout été outré d'entendre René Angélil dire que le choix de Montréal était sentimental. Pour Bourgault, il n'y avait aucun sentiment dans cette histoire puisque cette fameuse soirée rapportait au célèbre couple une somme de près de 4 millions de dollars.

Et, pour mettre un terme au millénaire, René Angélil est monté sur la scène sur le coup de minuit pour embrasser son épouse devant plus de deux millions de personnes. Jamais on n'aura autant vu René Angélil dans ce dernier mois de 1999, lui qui avait pourtant l'habitude de se montrer discret. Le changement est remarquable, il saute aux yeux.

Et un renouvellement des vœux de mariage

Puis, avant de vraiment prendre une année sabbatique, le couple nous réservait une autre surprise, celle-là plus difficile à comprendre. Céline, probablement dans un élan d'amour, a annoncé qu'elle avait l'intention de renouveler ses vœux de mariage avec René Angélil. Mariés depuis cinq ans (le 17 décembre 1994), elle a raconté que ce deuxième mariage permettait à la jeune femme qu'elle était devenue, de marier l'homme qu'elle aimait. Dans un décor jugé kitsch par tous ceux qui ont pu voir des scènes à la télévision ou des photos dans les journaux et magazines (encore une fois, comme lors du premier mariage, seul le magazine *Sept Jours* était accrédité à la couverture de ce mariage), Céline Dion a concocté un mariage arabe, avec des chameaux, des danseuses du ventre, des mets syro-libanais, selon la tradition catholique melchite, à Las Vegas, au Caesar's Palace, la deuxième demeure de René Angélil. Le public et même certains membres de la famille Dion ont manifesté un certain malaise devant autant de faste. De voir René Angélil dans une djellaba blanche, porté sur une litière, faisant aller la main aux quelques 235 invités avait de quoi surprendre. Il ne nous avait pas habitués à ce genre de visibilité.

Après ce renouvellement des vœux du mariage, René Angélil et Céline Dion pouvaient débuter vraiment leur année sabbatique. Mais la santé de René laisse encore bien des gens perplexes. Dans le *Journal de Montréal* du 16 janvier 2000, on rapporte un court article du magazine américain *People* qui relate que René Angélil, suite à des douleurs à la poitrine et au dos, aurait été admis au centre médical de Jupiter, en Floride, le 13 janvier 2000. La famille nie que de nouveaux troubles cardiaques seraient la cause de sa courte hospitalisation. Il s'agirait uniquement du suivi médical relatif aux traitements de son cancer. Il serait triste que la santé de René Angélil se détériore si rapidement, et juste au moment où il choisit de se retirer quelque peu du monde du *showbiz*.

Après la tournée *Let's Talk About Love*, René Angélil ne semble plus avoir aucun but professionnel à atteindre. L'argent ne représente plus un problème. Plus jamais il n'aura besoin de gagner sa vie. Il pourrait conquérir un nouveau marché, l'Amérique du Sud qui, avec ses traditions de chanteurs de charme, de chansons d'amour et de belles voix, serait très facile à subjuguer. Céline Dion pourrait apprendre l'espagnol très facilement, peut-être même plus aisément que l'anglais. Elle deviendrait une grande vedette là-bas. On n'a qu'à passer seulement quelques jours à Buenos Aires (Argentine), à Mexico (Mexique) ou encore à Montevideo (Uruguay) pour constater que les Sud-Américains aiment justement le genre de chansons qu'offre Céline Dion. Elle est d'ailleurs déjà un peu présente en Amérique du Sud: on peut y entendre ses chansons, surtout *My Heart Will Go On*, le film *Titanic* étant un succès mondial. On peut aussi y acheter des CD et des cassettes de Céline Dion. Mais il paraît aujourd'hui évident que René Angélil n'a absolument pas le goût de se lancer dans cette aventure. L'Asie et une partie de l'Afrique représentent aussi de nouveaux marchés au potentiel très lucratif; mais il serait très étonnant qu'il planifie, à long terme, une démarche en ce sens.

Pour comprendre pourquoi René Angélil ne se lancera pas dans une nouvelle conquête professionnelle, il suffit de remonter dans le temps et d'aller au Caesar's Palace avec lui et ses amis. On raconte qu'un soir, en jouant au black-jack, il avait gagné beaucoup d'argent, près de 150 000 $. Il n'éprouvait plus de plaisir à jouer au black-jack; avec l'argent qu'il possédait, ça devenait trop facile.

C'est exactement ce qu'il a fait avec la carrière de Céline. Il n'éprouve plus maintenant de plaisir à être numéro un dans le monde. On peut facilement penser qu'il a atteint son but. Avec les moyens qu'il possède maintenant, la tâche est de plus en plus facile. Tout le monde veut travailler avec Céline. Il suffit à l'imprésario de prendre contact avec les producteurs ou les auteurs de chansons les plus talentueux ou les plus populaires, de louer les meilleurs studios, de présenter un produit très coûteux que peu de gens peuvent se payer, pour connaître le succès.

Pour la tournée *Let's Talk About Love*, Angélil a fait fabriquer une scène pour Céline, en forme de cœur, située en plein centre des amphithéâtres, et comportant des élévateurs. Un jouet de plusieurs millions de dollars. On se demande encore pourquoi on veut tellement impressionner. De toute façon, il a entre les mains la meilleure chanteuse au monde. Comme aujourd'hui il a les moyens de se payer ce qu'il y a de mieux, manquer son coup devient presque impossible.

L'argent

Évaluer la fortune de René Angélil est aussi une opération presque impossible. Car le produit «Céline Dion» est tellement diversifié qu'on en perd son latin dès qu'on tente de faire quelques additions. Il y a les disques, bien sûr, qui rapportent une véritable fortune. Comme Céline Dion a vendu plus de vingt millions de son album *Falling Into You* et, plus encore, de *Let's Talk About Love*, ses deux derniers albums anglais, on parle de plus de cent millions d'albums vendus depuis les tout débuts de sa carrière. Le célèbre magazine américain *Forbes* a classé, en 1998, Céline Dion parmi les dix artistes les plus riches aux États-Unis.

Les termes du contrat liant Céline Dion à son imprésario sont secrets. Bien des gens ont prétendu que René Angélil n'a qu'environ 20 % des revenus de Céline Dion. Ça serait bien étonnant. Il peut être logique de penser qu'ils se partagent les gains moitié-moitié. En plus des disques, les tournées sont extrêmement payantes. Des spectacles dans un stade qui contient soixante-quinze mille personnes, comme au Stade de France à Paris, rapportent une véritable fortune. Il est aussi impossible de comptabiliser tous les sous-produits tels que les casquettes, les t-shirts, les tasses et autres gadgets à l'effigie de Céline Dion. Sony touche une bonne partie de ces bénéfices, mais Céline et René en reçoivent certainement un pourcentage. Il ne serait pas exagéré de dire que le couple possède chacun environ cent millions de dollars, et peut-être plus, en comptant leurs actifs tels les investissements dans l'immobilier comme le golf Le Mirage, la somptueuse demeure de vingt millions de dollars à Jupiter Island, en Floride et les maisons au Québec.

L'argent n'est pas toujours une motivation pour aller plus loin sur le plan professionnel, mais quand l'argent n'est plus nécessaire, la motivation semble plus difficile à trouver. Céline pratique un art. Même si elle prend une année ou deux de repos, il serait très étonnant que le goût de chanter l'abandonne totalement. Picasso avait beau être plusieurs fois millionnaire, quand il se levait le matin, il avait le goût de peindre. Une dame m'avait dit, en parlant de Céline, qu'elle ne cessera jamais de chanter: «Si elle est une vraie chanteuse, elle chantera toujours», avait-elle dit. Par contre, pour René Angélil, la gérance n'est pas nécessairement un art. Il s'agit d'un boulot, passionnant peut-être, mais un travail. Il serait très étonnant que René Angélil décide de consacrer de nouveau quatre ou cinq années de sa vie à planifier la carrière de Céline Dion.

L'enfant
René Angélil a eu 58 ans le 15 janvier 2000. Depuis de très nombreuses années, Céline crie sur tous les toits

qu'elle veut avoir un enfant de lui. Jamais, comme je l'ai mentionné ci-haut, n'a-t-on entendu René Angélil manifester le même intérêt que son épouse dans ce projet. Ayant déjà connu la paternité, il serait normal qu'il n'y accorde pas la même importance que sa jeune épouse. Par contre, s'il est vrai qu'il a fait congeler son sperme avant de subir des traitements de chimiothérapie, on peut penser qu'il aimerait devenir papa pour la quatrième fois. Par amour pour Céline, qui lui a tellement donné, et parce qu'elle désire tellement avoir cet enfant, on pourrait très bien le voir accepter cette paternité.

L'avenir pour René Angélil se situe peut-être là. Si sa santé le lui permet, il pourra prendre une retraite paisible, s'occuper de l'enfant qu'il aurait avec Céline, jouer au golf avec ses amis, prendre son temps et aller jouer quelques dollars au Caesar's Palace.

Le 31 décembre 1999, Céline Dion chantait au Centre Molson pour la dernière fois en plusieurs annnées et René Angélil y était. Si on se fie à ce qu'il a dit à Stéphan Bureau, en versant une larme (plusieurs pensent qu'il savait déjà qu'il avait le cancer à ce moment): «Ce qu'on vit, c'est de l'artificiel. C'est le *fun*, ce qu'on vit, mais tu ne peux pas faire ça toute ta vie et te sentir rempli, te sentir complet. Il te manque quelque chose. Ce qui te manque, c'est le plus vrai, le sang, ta famille, tes enfants. C'est pour ça que quelque part, quand je pense à Ginette Reno, qui a peut-être manqué, quelque part dans sa carrière, elle aurait pu devenir une grande vedette. Quand elle dit qu'elle est restée auprès de sa famille, elle est aussi gagnante que Céline et peut-être plus encore. Ouais, il y a un prix à payer pour ça.»

L'avenir de René Angélil? Il serait très étonnant qu'il paie encore le prix pour atteindre la gloire qu'il a déjà. La banque a sauté, le joueur n'a plus rien à gagner.

Conclusion

Quand j'ai commencé cette biographie de René Angélil, j'avais une assez bonne idée du tempérament de l'homme public que je voulais décrire. Je désirais faire un portrait, le plus juste possible, de celui qui, parti de rien, est devenu, grâce au talent d'une jeune chanteuse, un individu adulé, respecté, riche et admiré. Je voulais demeurer objectif même si l'individu ne m'était pas toujours sympathique.

Sur certains traits de son caractère, je suis demeuré sur mes positions. René Angélil aime jouer avec la vérité, exactement comme un joueur de cartes joue aussi bien avec un bon jeu qu'avec un mauvais jeu dans ses mains. La fin de sa relation avec Anne Renée ne me semble ni claire ni très agréable. Son petit côté manipulateur ou, pour être plus poli, sa capacité d'embellir les choses de la vie le rend suspect.

En même temps, j'ai découvert un homme d'une grande fidélité à Céline Dion, à ses amis et à ceux qui ne le déçoivent pas. Sa plus grande qualité, celle que je ne lui connaissais pas, est d'effacer sa rancœur pour donner une nouvelle chance aux gens. René Angélil ne semble pas avoir de rancune et s'il en a, il est assez perspicace pour passer outre et oublier ses querelles, ses diputes et ses différends. C'est ainsi qu'il a fait avec Jean Beaulne, Guy Cloutier, Johnny Farago, Anne Renée, le réseau Télé-Métropole, et plusieurs autres.

Mais sa plus grande qualité est sans contredit la foi inébranlable qu'il a eue et a encore en Céline Dion. Je savais bien qu'il aimait le talent de Céline, mais jamais il n'a eu un égarement, un doute. Il a toujours su et, surtout, il a toujours cru que Céline Dion est une artiste exceptionnelle, la meilleure au monde, la «plus big». Sans cette foi, il n'aurait pas atteint les sommets, même si, quelquefois, il devait «arranger» un peu la vérité.

Le 20 janvier 2000.

Bibliographie

Archives d'*Échos Vedettes*, *Hebdo Vedettes* et *Photos Vedettes*, de 1960 à 1999.

BEAUNOYER, Jean, *Céline Dion, Une femme au destin exceptionnel*, Montréal, Québec Amérique, 1997.

BROUILLARD, Marcel, *La Chanson en Héritage, 101 biographies*, Montréal, Éditions Quebecor, 1999.

GERMAIN, Georges-Hébert, *Céline*, Montréal, Libre Expression, 1997.

GRILLS, Barry, *Céline Dion, Falling Into You*, Kingston, Ontario, Quarry Press, Inc., 1997.

Québec, Canada
2000